Daniel Mendonca

LAS CLAVES DEL DERECHO

Serie Cla·De·Ma
Filosofía del derecho

Cla•De•Ma/Derecho

Colección dirigida por
Ernesto Garzón Valdés y Jorge F. Malem Seña

En la actualidad, la filosofía del derecho ya no es un discurso hermético y reservado a los especia-
listas de cada una de sus parcelas. Además, las modernas herramientas de análisis no sólo abren
nuevos accesos metodológicos a los juristas mismos, sino que inciden también en cuestiones que
afectan las responsabilidades acerca de nuestra civilización, como son las transgresiones de los
derechos humanos o la desproporción entre el crecimiento de la riqueza y su necesaria distribu-
ción. La colección pretende contribuir al debate que se está desarrollando en la Filosofía del derecho en el ámbito de la lengua castellana con la publicación de obras y recopilaciones de ensayos de
autores internacionales cuyos planteamientos merecen una mayor difusión en nuestra área cul-
tural. La intención es ofrecer un panorama lo más amplio posible y dar preferencia a propuestas
abiertas a la discusión teórica más que presentar soluciones definitivas.

LAS CLAVES DEL DERECHO

Daniel Mendonca

Ilustración de cubierta: Juan Santana

Primera edición: diciembre de 2000, Barcelona
Primera reimpresión: octubre de 2008, Barcelona

© Editorial Gedisa, S.A.
Avenida del Tibidabo, 12 (3º)
08022 Barcelona, España
Tel. (34) 93 253 09 04
Fax (34) 93 253 09 05
gedisa@gedisa.com
www.gedisa.com

ISBN: 84–7432–827-6
Depósito legal: B. 45928-2008

Impreso por: Sagrafic

Impreso en España
Printed in Spain

A la memoria de Albert Calsamiglia

Para Montse, mi propia clave

Índice

Prólogo

Buena parte de la teoría y la filosofía del derecho de habla hispana ha padecido y sigue padeciendo dos deficiencias que considero relevantes. La primera de ellas consiste en la exposición nebulosa de los problemas del derecho recurriendo, no pocas veces, a versiones de la metafísica alemana a través de traducciones de dudosa fidelidad. Los conceptos jurídicos suelen ser entonces ontologizados y remitidos a un ámbito de entes supraempíricos a los que arbitrariamente se les atribuye características supuestamente "esenciales". El resultado es la presentación de pseudoproblemas y la propuesta de soluciones expuestas con dogmática petulancia. Quienes transitaron o siguen transitando por esta vía confunden oscuridad con profundidad. Ya en 1932 Hans Kelsen advertía frente al peligro de abandonar "la claridad del realismo crítico-empírico" y practicar "el culto de lo nebuloso irracional" como consecuencia de una "vuelta a la oscuridad de la metafísica, que es considerada como sinónimo de profundidad".[1]

La segunda deficiencia resulta de una actitud diametralmente opuesta: la teoría y la filosofía del derecho se convierten en un ámbito imprecisamente amplio en donde cabe la consideración residual de todas aquellas cuestiones que no

---

1. Véase Hans Kelsen, "Verteidigung der Demokratie" en *Blätter der Deutschen Staatspartei*, año 2 (1932), pág. 92.

encuentran cabida en la dogmática jurídica. El soporte "filosófico" de esta actitud está constituido por un variopinto espectro de versiones semiasimiladas del posmodernismo mezclado con apelaciones comunitaristas y una supuesta existencia de filosofías autóctonas. El tratamiento racional de las cuestiones suele ser entonces desplazado por declaraciones de adhesión partidista, y lo que podría ser un esfuerzo de interpretación sociológica del fracaso jurídico institucional de nuestras sociedades se convierte, en el mejor de los casos, en expresión de deseos de menguada originalidad y superficial patetismo.

Si este diagnóstico es correcto –y podría abundar en ejemplos para confirmar que tal es el caso– una forma sensata de navegar entre la Caribdis de la pseudoprofundidad metafísica y la Escila de la superficialidad pretenciosa es procurar esclarecer los conceptos a los que recurre todo sistema jurídico y explicitar las conexiones lógico-fomales y epistemológicas de los enunciados que utiliza el teórico del derecho, procurando mantener celosamente vedado el ingreso a la irracionalidad. No se trata entonces de buscar verdades inconmovibles sino de algo mucho más modesto: lo que importa es pulir y mantener limpios los conceptos que utilizamos y precisar las reglas que nos permiten combinarlos a fin de evitar el peligro de la confusión y la falacia.

Ésta es la línea seguida por la que suele llamarse "Filosofía analítica del derecho". No es siempre fácil determinar los límites precisos de esta designación. Mientras para algunos la filosofía analítica debe dejar de lado el tratamiento de problemas vinculados con la posible fundamentación de los valores políticos o morales, también existen filósofos y pensadores que pueden ser considerados "analíticos" cuya obra está centrada precisamente en el tratamiento de este tipo de cuestiones. Los del primer grupo suelen invocar una tradición vinculada a los nombres de Gottlob Frege, Bertrand Russell, Rudolf Carnap, Alfred Julius Ayer, John L. Austin y Gilbert Ryle. Los del segundo aducen que la preocupación por el diseño institucional enlaza con la actitud analítica de autores como Jeremy Bentham, John Stuart Mill y Henry Sidgwick.

Durante la primera mitad del siglo XX la preeminencia del primer grupo es indiscutible. Su labor terapeútica antimetafísica realizó una operación de saludable limpieza ontológica. Basta recordar la obra de autores escandinavos como Karl

Olivecrona o Alf Ross con sus argumentos demoledores en contra de los intentos de una ontología jurídica integrada por supuestas esencias de instituciones tales como el matrimonio o la compraventa. En Buenos Aires, Eugenio Bulygin publicó en 1961 un pequeño pero esclarcedor libro titulado *Naturaleza jurídica de las letras de cambio* en donde sostenía una posición afín a la de estos iusfilósofos y ponía de manifiesto la esterilidad de los esfuerzos destinados a descubrir algo así como la esencia de las instituciones jurídicas.

La segunda corriente de la filosofía analítica recibió un fuerte impulso de reactivación a raíz de la publicación de obras como las de Brian Barry *Political Argument* (1965) o de John Rawls *A Theory of Justice* (1971). Ambos autores intentaron con éxito poner de manifiesto que era posible y hasta necesaria la consideración de los valores expresados en los ordenamientos político-jurídicos desde una perspectiva que recogía la herencia de racionalidad propiciada por la Ilustración. Desde entonces, la discusión sobre los juicios de valor volvió a ser tomada en serio y la investigación de los teóricos y filósofos del derecho incorporó temas que habían sido dejados de lado como consecuencia del impacto "purificador" del primer grupo. En el ámbito de lengua española, el representante más significativo de este segundo grupo fue Carlos S. Nino.

La discusión entre ambas orientaciones de la filosofía analítica se mantiene hasta ahora. Pero se trata de una polémica que se mueve dentro de un marco común que concede especial importancia a los aspectos metodológicos y a la sobriedad argumentativa. Por ello, para ambos grupos vale la caracterización de Carlos J. Moya:

> La filosofía analítica actual, con su exigencia de claridad y de argumentación explícita, su preferencia por la precisión frente a la grandilocuencia, por la discusión reflexiva frente a la adhesión o la adulación, constituye un movimiento intelectual que enlaza con la gran tradición crítica de la filosofía occidental y la desarrolla en nuevas direcciones, preservando el compromiso de dicha tradición con la razón y la búsqueda racional de la verdad.[2]

2. Carlos J. Moya, "La evolución de la filosofía analítica" en Fundación Juan March (ed.), *Boletín Informativo*, Nº 293, Madrid, octubre 1999, págs. 3-16, pág. 16.

*

La obra de Daniel Mendonca debe ser incluida, sin duda, dentro del primer grupo de la corriente analítica. Continúa una línea de investigación genealógicamente vinculada con los trabajos pioneros de Georg Henrik von Wright en el campo de la lógica deóntica e incorpora los aportes de Carlos Alchourrón y Eugenio Bulygin cuya contribución a la teoría y filosofía del derecho puede ser considerada sin exageración como una de las más significativas en la segunda mitad del siglo XX.

Daniel Mendonca practica el método analítico con cautelosa exactitud, advirtiendo frente al peligro de conclusiones apresuradas que, no pocas veces, resultan de no tener en cuenta la peculiar ambigüedad que suele afectar a las expresiones deónticas. Desde esta perspectiva, el presente libro constituye un excelente ejemplo de un esfuerzo coherente por lograr precisiones semánticas de los conceptos centrales de la ciencia jurídica.

La estrategia que a tal fin aplica consiste en pasar una rápida revista al estado de la cuestión tratada en cada capítulo para exponer luego su propia interpretación. Cuando se trata de temas tales como el concepto y existencia de las prescripciones jurídicas, de los actos normativos o de la noción de interpretación y aplicación del derecho sobre los que existe una inmensa bibliografía, la tarea no es fácil. Hasta podría pensarse que ya está todo dicho y que volver a reflexionar sobre estos temas es un vano ejercicio que sólo conduce a la reiteración de lo conocido. Al respecto dos observaciones: primero, lo importante no es pensar lo no pensado sino volver a pensar uno mismo lo que otros pensaron. Goethe lo sabía. Segundo, el lector atento podrá comprobar que Mendonca propone siempre nuevos enfoques y sugiere soluciones que, de alguna manera, facilitan la comprensión de lo que realmente estaba en juego, a la vez que superan posibles imprecisiones conceptuales que pueden inducir a error. En última instancia, lo que importa no es encontrar la solución "verdadera" sino procurar alejarnos del error. Nunca podemos saber cuán cerca de la verdad estamos pero sí cuáles son los errores que hemos dejado detrás. Popper *dixit*.

Una buena ilustración de este método es el tratamiento que Mendonca hace del conocido problema de la posible derivación de enunciados de deber ser a partir de enunciados descriptivos. Conocemos muy bien la sabia reflexión de David Hume y el peligro de su guillotina. Pero también sabemos que no pocos pensadores intentan dar rodeos argumentativos para demostrar que el escocés se equivocaba. El caso más notable en este sentido es el de John Searle con su ejemplo de la promesa. Al igual que Searle, Mendonca está interesado "en una tesis de filosofía del lenguaje y no en una tesis de filosofía moral o filosofía jurídica". Justamente por ello, se detiene en el análisis lingüístico y recuerda la distinción fundamental entre normas y proposiciones normativas. A través de un cuidadoso razonamiento, que no es el caso exponer aquí, llega a una conclusión que estimo sumamente plausible: el error de Searle consistiría en pasar por alto el uso descriptivo de las oraciones deónticas y considerar que, por la mera presencia de un término deóntico, la oración constituiría una formulación normativa y expresaría una norma.

Es claro que toda propuesta de solución puede, a su vez, ser puesta en duda y estimular la discusión. En realidad, el tratamiento reflexivo de toda cuestión es una especie de asedio a un problema que nos desconcierta y se resiste a ser dominado. Le damos entonces vueltas a sus defensas como lo hicieron los sitiadores de Troya (metáfora que, por cierto, no me pertenece) a fin de irnos acercando a sus puntos más vulnerables y terminar dominándolo transitoriamente. El recurso del caballo suele no ser inapropiado. En varias partes de este libro, Mendonca nos introduce el caballo de sus argumentos. La tarea del lector puede consistir entonces en darse cuenta a tiempo de que tal es el caso y poner en tela de juicio la victoria proclamada. Por mi parte, me gustaría volver a repensar el problema de la tolerancia y ver hasta qué punto mi posición es tan diferente de la sostenida por Georg Henrik von Wright, como afirma Mendonca. Si los "permisos son esencialmente tolerancias" declaradas por una "autoridad normativa" (von Wright), podría pensarse que coincido con él al atribuir carácter normativo a los actos de tolerancia. Pero ésta es tan sólo una impresión que requeriría una exposición más cuidadosa. Menciono este problema tan sólo para subrayar otro mérito de Mendonca.

En efecto, es esta incitación a la duda, al abandono de creencias que nos gusta convertir en certezas, lo que vuelve estimulante la lectura de este libro escrito con un soberano conocimiento de los temas de la teoría del derecho y una obstinada preocupación por la claridad y la abstención de la retórica.

Si, como sostiene Philip Pettit[3], la palabra clave de la filosofía analítica es "método", puede afirmarse, esta vez sin lugar a dudas, que Mendonca ha enriquecido con su obra el ámbito de la investigación metodológica en el campo del derecho y ofrecido un buen testimonio del tratamiento sistemático de sus problemas. Quien desee comprobar que tal es el caso puede hacerlo leyendo las páginas que siguen a este Prólogo, en el que he procurado no ceder a la tentación de abundar en expresiones de afecto personal e intelectual.

*

A comienzos de los años treinta, Rudolf Carnap había publicado en la revista *Erkenntnis* un demoledor ataque a las tendencias metafísicas de la filosofía alemana de orientación hegeliana-heideggeriana y analizado lo que llamaba "pseudoproposiciones" producidas por el "fervor metafísico".[4] La edición castellana de este estudio realizada en 1961 incluye una dedicatoria que vale la pena reproducir:

Al parecer en latinoamérica se está desarrollando ahora un interés creciente por seguir aquellos métodos de investigación filosófica que resultan más sobrios, claros, analíticos y, sobre todo, que se encuentran vinculados más al pensamiento científico que a la problemática de la metafísica tradicional. Quiero enviar mis saludos y mis mejores deseos a todos aquellos que se esfuerzan por cultivar esta manera de pensar.[5]

3. Véase Philip Pettit, "The contribution of analytical philosophy" en Robert E. Goodin y Philip Pettit (eds.), *A Companion to Contemporary Political Philosophy,* Oxford: Blackwell 1993, págs. 7-38.

4. Véase Rudolf Carnap, "Überwindung der Metaphysik durch logische Analyse der Sprache" en *Erkenntnis*, tomo II (1931-1932), págs. 219-241.

5. Rudolf Carnap, *La superación de la metafísica por medio del análisis lógico del lenguaje,* traducción de C. Nicolás Molina Flores, México, Centro de Estudios Filosóficos, Universidad Nacional Autónoma de México, Cuaderno 10, 1961, pág. 449.

No sé si Daniel Mendonca conoce esta frase de Carnap y, desde luego, es obvio que Carnap no pudo conocer el presente libro. Pero pienso que le hubiera gustado leerlo como testimonio de aquella sobriedad analítica que propiciaba y comprobar así que sus "deseos" no habían sido en vano.

Ernesto Garzón Valdés

Prefacio

Este libro trata principalmente sobre el lenguaje del Derecho. Se me concederá que, en un sentido importante, el Derecho es dependiente del lenguaje. Está claro que la finalidad básica perseguida por la actividad legislativa es motivar ciertas conductas sociales, razón por la cual resulta ineludible comunicar el resultado de esa actividad por medio del lenguaje natural (común u ordinario), un lenguaje compartido tanto por las autoridades como por los destinatarios del Derecho: el lenguaje con el cual se expresa el Derecho de una comunidad es el lenguaje natural de esa comunidad. Cabe observar, sin embargo, frente a lo que acabo de afirmar, que desde tiempos muy lejanos los juristas vienen elaborando un lenguaje técnico (especializado o artificial) y que los términos de ese lenguaje, susceptibles de definición más precisa, se han incorporado al vocabulario con el cual se formula el Derecho.

La preocupación teórica y filosófica por el lenguaje del Derecho, sin embargo, no tiene larga data. Aunque existen antecedentes remotos a este respecto, específicamente en las obras pioneras de Bentham y Austin, puede afirmarse que los desarrollos sistemáticos se iniciaron con las obras clásicas de Kelsen, Hart, Ross y Bobbio y avanzaron con los estudios de teóricos como von Wright, Alchourrón, Bulygin, Raz, Nino, Guastini y Carrió, en gran medida bajo la influencia de la filosofía iniciada por Frege, Moore, Russell, Wittgenstein, Austin, Tarski, Carnap y Ayer. En esa concepción de la filosofía, los problemas filosóficos son problemas esencialmente lingüísticos y su solución (o disolución) requiere una reforma del lenguaje o una elucidación más adecuada de su funcionamiento. Los problemas filosóficos pueden resolverse, de acuerdo con esta concepción, a través de un análisis adecuado del lenguaje considerado, pues ellos se derivan de una mala comprensión de ese lenguaje o de su uso inadecuado. Este marcado interés por el lenguaje y sus problemas provocó, por cierto, el desarrollo de la lógica y su posterior aplicación efectiva a diversos campos de investigación, incluido el propio Derecho. Por lo común, se emplea la etiqueta "Filosofía analítica" para indicar este estilo de filosofar centrado en el lenguaje.

Afirmar que un filósofo se centra en el lenguaje puede querer decir, más precisamente, que sustenta alguna o algunas de las siguientes tesis: (1) los problemas filosóficos se originan en abusos cometidos en directo detrimento del lenguaje cuando se pretende usarlo fuera de los contextos donde cumple cabalmente su función, de modo que las únicas tareas útiles que puede llevar a cabo el filósofo son exhibir tales abusos y, en el mejor de los casos, repararlos; (2) sin prejuzgar acerca de la génesis de los problemas filosóficos, parece obvio que un tratamiento adecuado de ellos requiere, como tarea previa indispensable, dominar adecuadamente un cúmulo de distinciones y matices que exhibe el propio lenguaje, aunque ello no garantice la solución ni la disolución de todos los problemas; (3) para tratar problemas filosóficos, sean ellos lo que fueren, debe usarse un lenguaje claro y simple, evitando en lo posible la jerga altamente especializada y generalmente incomprensible que muchos consideran indispensable para hacer filosofía; (4) la tarea filosófica consiste, básicamente, en la elucidación de conceptos, de manera que hacer filosofía es poner en claro el aparato conceptual presupuesto en el empleo de las palabras y expresiones cruciales del lenguaje considerado. Desde esta perspectiva, este libro se sustenta, en mayor o menor medida, en las cuatro tesis anteriores, aunque se apoya, en particular, en las tesis (2) y (4). Consiguientemente, la filosofía de este libro bien podría calificarse de "analítica", así como también podría merecer la misma calificación la filosofía con la cual dialoga.

Como no podía ser de otro modo, esta opción por el método analítico ha determinado, en gran medida, la selección de los temas tratados. El núcleo temático de este libro incluye ciertas operaciones propias del Derecho: autorizar, promulgar, derogar, prescribir, obligar, permitir, sancionar, amenazar, castigar, definir. En conexión, incluye también determinadas operaciones tradicionales de la práctica jurídica, vinculadas con el Derecho mismo: interpretar, argumentar, sistematizar, ordenar, integrar, reformular, resolver, aplicar, justificar, probar, presumir. Estas son, precisamente, las claves del Derecho.

He contraído deudas con mucha gente por la ayuda recibida durante la preparación de este libro, aunque, desde luego, nadie ha de responder por los resultados alcanzados. He tenido la oportunidad de presentar estudios parciales en instituciones amigas por iniciativa de los profesores Albert Calsamiglia, Paolo Comanducci, Virgilio Zapatero, Manuel Atienza y Ricardo Caracciolo, recibiendo en todas esas ocasiones observaciones sugerentes y críticas oportunas de numerosos colegas. Diversos borradores fueron leídos por Juan Carlos Mendonca, Jordi Ferrer, José Juan Moreso, Víctor Ferreres, Josep Maria Vilajosana y Riccardo Guastini, por lo que he quedado en deuda con ellos por sus comentarios y correcciones. Ricardo Guibourg, Eugenio Bulygin y Ernesto Garzón Valdés han sido todo este tiempo maestros críticos, estimulantes, insatisfechos y afectuosos. El infortunio me ha privado del control perspicaz de Carlos Nino y Carlos Alchourrón.

D. M.
Universitat Pompeu Fabra
Barcelona, año 2000

Advertencias

Este libro puede leerse de diferentes maneras. Puede leerse, desde luego, del capítulo 1 al capítulo 12, tal como se halla presentado, pero puede leerse, además, agrupando determinados capítulos, omitiendo otros. Por ejemplo, pueden leerse conjuntamente los capítulos 1, 2, 3, 4 y 5, poniendo énfasis en el aspecto prescriptivo del lenguaje del Derecho. Una variante de la sugerencia anterior conduciría a leer conjuntamente los capítulos 3, 4, 5, 6, 7, 8 y 12, atendiendo a algunos de los componentes típicos de los sistemas jurídicos. También pueden leerse conjuntamente los capítulos 7, 8 y 10, prestando especial atención al aspecto sistemático del Derecho. Finalmente, pueden leerse conjuntamente los capítulos 6, 9, 10, 11 y 12, considerando ciertas operaciones básicas de la práctica jurídica. En cualquier caso, el capítulo 1 me parece especialmente importante.

Por lo anterior, para dar independencia al lector respecto de determinados contenidos, he decidido eliminar ciertos presupuestos, reiterando explicaciones previamente introducidas. Por esta razón, el lector encontrará a lo largo del libro algunas repeticiones sobre cuestiones recurrentes. Cuando las circunstancias lo justificaban, introduje remisiones a apartados específicos con el propósito de mostrar conexiones temáticas, anterior o posteriormente desarrolladas.

En cuanto a las referencias bibliográficas, he optado por incluirlas en el texto mismo, con indicación de autor-año-página. En la bibliografía final se indican los años de las ediciones originales y, cuando se señalan los datos de las ediciones castellanas, se cita por ellas.

1

Normas
y proposiciones normativas

1.1. Proposiciones y proposiciones normativas

1.1.1. Una de las cuestiones más controvertidas en la filosofía del lenguaje y la filosofía de la lógica constituye el tema de los portadores de la verdad. La cuestión radica en determinar qué tipo de entidad merece ser calificada de "verdadera". Según veremos, son varias las alternativas que se han barajado al respecto: *oraciones*, *enunciados* y *proposiciones* aparecen en la literatura como las candidatas mejor dotadas. Mucho se ha argumentado a favor y en contra de unas y otras, aunque no siempre la polémica ha resultado provechosa. En el fondo de la discusión parece haber –como en muchos otros casos– una discrepancia ontológica que se relaciona con la admisión o rechazo de entidades abstractas dentro de la teoría. Quienes admiten el recurso a construcciones teóricas abstractas sostienen, sin vacilar, que las proposiciones son las portadoras de la verdad; quienes, por el contrario, rechazan tal postulación, remiten la noción de verdad a las oraciones o las proferencias de oraciones. La actitud ante estas entidades está matizada por las propias opiniones metafísicas. Los *nominalistas*, por ejemplo, a quienes no agradan las entidades abstractas, están mal dispuestos hacia los enunciados y las proposiciones y mejor prevenidos hacia las oraciones, a diferencia de los *platónicos*, quienes aceptan sin dificultad enunciados o proposiciones, por admitir objetos abstractos (Haack 1978, 98).

Es común distinguir entre las *oraciones* y las *proposiciones* que aquéllas expresan. Dos oraciones que son claramente distintas, porque constan de diferentes palabras ordenadas en distintas formas, pueden tener en el mismo contexto el mismo significado y emplearse para afirmar la misma proposición. Por ejemplo:

(1) Ernesto fuma un cigarrillo
(2) Un cigarrillo es fumado por Ernesto

son dos oraciones diferentes, porque (1) contiene cuatro palabras, mientras que (2) contiene seis; (1) comienza con el nombre propio "Ernesto" y (2) con el artículo "Un", y así sucesivamente. Pero las dos oraciones tienen exactamente el mismo significado. Usaremos el término "proposición" para referirnos al contenido que ambas oraciones afirman.

La diferencia entre oraciones y proposiciones puede entenderse mejor si se hace notar que una oración es siempre oración de un lenguaje particular, del lenguaje en el cual se emite, mientras que las proposiciones no son propias de ningún lenguaje. Así, las oraciones (1) y

(3) Ernesto raucht eine Zigarette

son, ciertamente, diferentes, porque se hallan formuladas en lenguajes distintos (una en castellano y la otra en alemán), pero tienen el mismo significado y, en un contexto apropiado, pueden ser usadas para afirmar la proposición de la cual cada una es una formulación distinta.

Y en diferentes contextos puede emitirse exactamente la misma oración para establecer diferentes *enunciados*. Por ejemplo, uno puede emitir la oración (1), que en un momento dado corresponde a un enunciado verdadero acerca del sujeto en cuestión, mientras que en un momento diferente corresponde a un enunciado falso sobre el mismo sujeto. En esos contextos temporales diferentes se puede emitir dicha oración para afirmar diferentes proposiciones o establecer diferentes enunciados. Las nociones *enunciado* y *proposición* no son exactamente sinónimas, pero en el contexto de las investigaciones lógicas se las usa en un sentido similar; en otros contextos, en cambio, las nociones *oración* y *enunciado* son tomadas en un sentido similar. En este estudio se usará la noción de *proposición* para aludir a un portador de verdad y se usarán, indistintamente, los términos "oración" y "enunciado", salvo especificación en contrario.

Antes de avanzar, importa poner de manifiesto que la discusión acerca de los portadores de verdad ha sido un tanto ignorada en la filosofía del derecho, y que la teoría de la verdad por correspondencia ha sido aceptada allí sin mucha controversia: se postula en ese ámbito la existencia de proposiciones y se admite que su verdad o falsedad depende de su relación con ciertos estados de cosas.

1.1.2. La noción de *proposición normativa* surge, en gran medida, de la conocida ambigüedad de las expresiones deónticas; a diferencia de los imperativos, que habitualmente son usados para dar órdenes o establecer prohibiciones, las oraciones deónticas (oraciones en las que figuran de variadas formas términos deónticos como "obligatorio", "prohibido" o "permitido") son típicamente ambiguas, ya que oraciones como

(4) Debes cumplir tus promesas
(5) Prohibido estacionar

pueden ser formuladas para emitir prescripciones (órdenes o prohibiciones) y también para informar que hay (existe) determinada prohibición o que algo es obligatorio o está permitido de acuerdo con una norma o un conjunto de normas dado. En el primer caso las oraciones deónticas expresan *normas* y en el segundo *proposiciones* acerca de normas o, más brevemente, *proposiciones normativas*.

Es opinión generalizada entre los filósofos, salvo raras excepciones, que las normas carecen de valores de verdad (no son verdaderas ni falsas), a diferencia de lo que acontece con las proposiciones normativas, que sí poseen valores de verdad (son verdaderas o falsas). Por otro lado, se admite que las normas −aunque no las proposiciones normativas− pueden ser obedecidas o desobedecidas. La mayoría de los teóricos acepta, además, que las dos categorías son *mutuamente excluyentes*, es decir, que ninguna oración deóntica puede expresar una norma y una proposición normativa al mismo tiempo, y que son *conjuntamente exhaustivas*, esto es, que toda oración deóntica (más bien cada uso de una oración deóntica) expresa necesariamente o bien una norma o bien una proposición normativa. Un ejemplo ayudará a mostrar justamente la ambigüedad de las expresiones deónticas y la dificultad práctica de determinar qué acto lingüístico fue ejecutado en cierta ocasión. Supongamos que digo lo siguiente a alguien que intenta fumar en mi despacho:

(6) No puede fumar en mi despacho

La expresión formulada puede ser entendida, según vimos, de dos maneras bien diferentes: (1) puede suponer que con esas palabras he prohibido a alguien fumar en mi despacho, con lo cual, en ese caso, la expresión habría sido usada para formular una norma, y (2) puede suponer que mediante ella he dado información a alguien acerca de las disposiciones existentes sobre la acción de fumar en tal lugar, en cuyo caso la expresión habría sido usada para formular una proposición normativa.

1.2. La distinción en la Teoría del Derecho

1.2.1. Uno de los propósitos centrales de la teoría de Kelsen consiste en señalar que el objeto de la ciencia del derecho lo constituyen las normas jurídicas y, en la medida en que se encuentra determinada por las normas jurídicas, la conducta humana (Kelsen 1960, 83). En lo sustancial, la ciencia del derecho describe las normas jurídicas producidas por actos humanos, así como las normas que, mediante esos actos, son aplicadas y acatadas (Kelsen 1960, 84).

Los enunciados con los que la ciencia del derecho formula sus descripciones, en cuanto *enunciados jurídicos,* deben ser claramente distinguidos de las *normas jurídicas* que constituyen su objeto. Los enunciados jurídicos son proposiciones que expresan que, conforme a cierto orden jurídico, deben producirse ciertas consecuencias, bajo determinadas condiciones que ese mismo orden establece (Kelsen 1960, 84). Por lo demás, las normas jurídicas obligan, prohiben o facultan y no constituyen, consiguientemente, proposiciones, esto es, enunciados declarativos sobre un objeto dado al conocimiento (Kelsen 1960, 84). La diferencia central entre enunciados y normas radica en que los enunciados no obligan, prohiben o facultan a nada ni a nadie, pero pueden ser verdaderos o falsos, mientras que, a la inversa, las normas obligan, prohiben o facultan, pero no pueden ser verdaderas o falsas, sino válidas o inválidas (Kelsen 1960, 86).

En la distinción entre enunciado jurídico y norma jurídica se expresa la distinción entre la función de conocimiento de la ciencia del derecho y la función regulativa del derecho mismo. La ciencia del derecho tiene por objeto conocer el derecho, describirlo "desde fuera", según la expresión de Kelsen (Kelsen 1960, 85). La ciencia del derecho sólo puede *describir* el derecho; no puede, a diferencia del derecho, producirlo, prescribiendo normas generales o individuales.

1.2.2. En la teoría de Hart, la distinción entre normas y proposiciones normativas aparece presentada de un modo más complejo. Según Hart, "cuando un grupo social tiene ciertas reglas de conducta, este hecho abre la posibilidad de tipos de aserción estrechamente relacionados entre sí, aunque diferentes; porque es posible ocuparse de las reglas como un mero observador que no las acepta, o como un miembro del grupo que las acepta y que las usa como guías de conducta" (Hart 1961, 110-1). Estas perspectivas representan lo que Hart ha llamado "punto de vista externo" y "punto de vista interno".

La distinción entre punto de vista interno y externo, a su vez, da origen a una distinción paralela entre dos tipos de enunciados: *enunciados internos* y *enunciados externos*. Para formular y comprender esa nueva distinción resulta necesario aludir a una regla especial, llamada por Hart "regla de reconocimiento". Dicha regla, dice Hart, "especifica alguna característica o características cuya posesión por una regla sugerida es considerada como una indicación afirmativa indiscutible de que se trata de una regla del grupo, que ha de ser sustentada por la presión social que éste ejerce" (Hart 1961, 117). Así, señala Hart, "decir que una determinada regla es válida es reconocer que ella satisface todos los requisitos establecidos en la regla de reconocimiento y, por lo tanto, que es una regla del sistema" (Hart 1961, 129).

Sobre esa base, dice Hart, "un enunciado interno manifiesta el punto de vista interno y es usado con naturalidad por quien, aceptando la regla de reconocimiento y sin enunciar el hecho de que ella es aceptada, la aplica al reconocer como válida alguna regla particular del sistema" (Hart 1961, 128). Un enunciado externo, en cambio, se corresponde con "el lenguaje natural de un observador externo del sistema que, sin aceptar su regla de reconocimiento, enuncia el hecho de que otros la aceptan" (Hart 1961, 128). Parece claro que los enunciados externos son descriptivos de la existencia de reglas jurídicas, lo que se manifiesta, según Hart, en ciertos comportamientos y actitudes de la gente, razón por la cual cabe afirmar que los enunciados externos versan, en definitiva, sobre conductas y actitudes. Mucho menos claro es, sin embargo, el carácter de los enunciados internos, aunque todo parece indicar que ellos expresan directivas encubiertas y son usados, por consiguiente, para exigir y justificar acciones.

Hart aclara que los enunciados externos formulados por un observador pueden ser de diferentes tipos, a saber: (1) registrar las regularidades de conducta de aquellos que cumplen las reglas; (2) registrar la reacción hostil regular frente a las desviaciones del patrón usual de conducta (3) registrar el hecho de que los miembros de la sociedad aceptan ciertas reglas como pautas de conducta y que la conducta y las reacciones observables son consideradas por ellos como exigidas o justificadas por las reglas (Hart 1961, 111, 309).

1.2.3. En la teoría de Ross, la distinción también se halla presente: Ross distingue entre *proposiciones y reglas jurídicas*. Según Ross, las reglas jurídicas responden a la categoría general de las directivas, esto es, expresiones sin significado representativo y con las que se pretende ejercer influencia (Ross 1958, 8): "Las leyes no se sancionan para comunicar verdades teóricas sino para dirigir el comportamiento de los hombres –tanto de los jueces como de los ciudadanos– a fin de que actúen de cierta manera deseada" (Ross 1958, 8); "su significado lógico no es informar acerca de hechos, sino prescribir una conducta. La regla jurídica no es verdadera ni falsa, es una directiva" (Ross 1958, 9).

Por el otro lado, las expresiones formuladas por los teóricos para señalar cuál es el derecho vigente, a pesar de su apariencia de directivas, son proposiciones acerca de directivas. Ross insiste en distinguir tajantemente las proposiciones de las normas: "la radical diversidad existente entre las normas jurídicas (esto es, las reglas jurídicas contenidas en las leyes o extraídas de los precedentes o de otras fuentes del derecho) por un lado, y las proposiciones doctrinarias de los libros de texto jurídico, por el otro, es claramente establecida aquí. Las primeras son directivas (alógicas); las segundas son aserciones (lógicas) que expresan que ciertas directivas son derecho válido. Si no se tiene claramente en cuenta esta diversidad y si se coloca a las normas jurídicas en el mismo plano que las proposiciones doctrinarias que se refieren a ellas, unas y otras resultarán necesariamente deformadas" (Ross 1958, 9-10). Consiguientemente, las expresiones de un texto doctrinario deben ser entendidas como proposiciones no *del* derecho vigente, sino *acerca* del derecho vigente (Ross 1958, 9).

Como es importante emplear un término que distinga claramente el conocimiento del derecho del derecho mismo, Ross propone el uso de la expresión "ciencia del derecho" para el primero (Ross 1958, 10). Como todas las proposiciones descriptivas, las de la ciencia del derecho son para Ross expresiones de lo que *es* y no de lo que *debe ser,* son aserciones y no directivas: "cuando la ciencia del derecho describe ciertas normas como derecho vigente, describe ciertas realidades sociales, un cierto contenido de ideas normativas tal y como son realmente experimentadas y realmente efectivas" (Ross 1958, 11).

1.2.4. Dos autores que en la teoría del derecho más reciente han mostrado especial interés en la distinción entre normas y proposiciones normativas son Alchourrón y Bulygin. En su obra, la distinción es clara y tajante: las normas no son verdaderas o falsas, pero pueden ser obedecidas o desobedecidas; las proposiciones normativas, en cambio, son verdaderas o falsas, pero no pueden ser obedecidas o desobedecidas (Alchourrón-Bulygin 1991, 170). Alchourrón-Bulygin consideran crucial esta distinción para una comprensión clara y un tratamiento adecuado del discurso normativo (Alchourrón-Bulygin 1991, 190).

Alchourrón-Bulygin han rechazado la idea de que las normas son verdaderas o falsas, idea basada en una analogía con la llamada "Convención T" de Tarski, de acuerdo con la cual "p" es verdadera si, y sólo si, p (donde "p" representa el enunciado proposicional y p el estado de cosas al cual aquél hace referencia); en el caso de las normas la cláusula sería la siguiente: "n" es verdadera si, y sólo si, n (donde "n" representa el enunciado normativo y n el hecho normativo al cual aquél hace referencia). A esta construcción subyace, obviamente, la noción de verdad como correspondencia. Alchourrón-Bulygin han advertido con acierto que no basta con señalar la analogía pretendida, puesto que resulta necesario justificar la existencia de los hechos que hacen verdaderas a las normas. Es así que, sin la elaboración cuidadosa de una teoría u ontología capaz de dar cuenta de hechos específicamente normativos, la pretensión de que las normas poseen valores de verdad permanece sin sustento (Alchourrón-Bulygin 1991, 172).

Las proposiciones normativas, en cambio, contienen información sobre el estatus normativo de ciertas acciones, es decir, enuncian que una acción es obligatoria, prohibida o permitida, y son verdaderas si, y sólo si, la acción en cuestión tiene la propiedad de ser obligatoria, prohibida o permitida. Esto equivale a decir, por ejemplo, afirman Alchourrón-Bulygin, que la proposición de que una acción es obligatoria significa lo mismo que hay una norma que ordena ejecutar la acción. Por lo tanto, las proposiciones normativas pueden ser analizadas en términos de proposiciones acerca de la existencia de normas. Y si se acepta que la existencia de una norma consiste en su promulgación por una autoridad, entonces afirmar que una acción es obligatoria, prohibida o permitida equivale a decir que cierta autoridad ha promulgado la norma que ordena, prohibe o permite ejecutar la acción en cuestión (Alchourrón-Bulygin 1991, 88). En las proposiciones normativas hay, pues, una referencia (a veces tácita) a una norma o a un sistema de normas.

1.3. Variedad de proposiciones normativas

Toda proposición posee, por definición, un valor de verdad. Aceptaremos que el valor de verdad de una proposición depende de la adecuación de la información proporcionada por ella al estado de cosas al cual hace referencia: una proposición es verdadera si, y sólo si, se corresponde con la realidad y falsa en caso contrario. Sobre esta base, es importante tener presente que los estados de cosas a los cuales pueden hacer referencia las proposiciones normativas son múltiples y variados.

Se halla muy difundida en la literatura la idea de que las proposiciones normativas se expresan, por lo general, mediante oraciones que enuncian que un estado de cosas dado tiene cierto estatus normativo (prohibido, permitido u obligatorio) de acuerdo con un sistema normativo determinado. Esto significa que ese sistema normativo contiene una norma que regula (prohibiendo, permitiendo u obligando) ese estado de cosas. Esta noción de *proposición normativa* es importante, sin lugar a dudas, aunque un tanto estrecha o restringida desde algún punto de vista. Ocurre que puede hacerse referencia a una variedad importante de circunstancias relativas a las normas que no guardan relación directa con su pertenencia a un conjunto dado. Claro está que la información proporcionada acerca de su pertenencia a un determinado sistema es de suma importancia, pero no debe pensarse por ello que esto agota la información relevante sobre el fenómeno normativo. En lo sucesivo, intentaré poner de manifiesto una serie interesante de proposiciones normativas, limitándome a las que serán consideradas en el curso de esta obra.

(1) *Proposiciones de regulación*. Tales proposiciones pueden ser formuladas mediante expresiones como "La norma N regula del modo M la acción A".

Las proposiciones de regulación se expresan por lo general mediante oraciones elípticas que enuncian que una acción A tiene cierto *estatus normativo* o *calificación deóntica* (prohibido, permitido u obligatorio), de acuerdo con una norma. Es fácil, sin embargo, generalizar esta explicación para hacerla aplicable a sistemas normativos: la acción A es obligatoria (prohibida o permitida) en relación a un sistema normativo S si, y sólo si, la norma que exige (prohibe o permite) A pertenece a las consecuencias del conjunto C. De este modo, puede afirmarse que las proposiciones de regulación son siempre *relativas* a una norma o un sistema normativo. Oraciones deónticas tales como "Es obligatorio A", "Está prohibido A" o "Está permitido A" son usadas frecuentemente para formular proposiciones de este tipo, esto es, para enunciar que existe una determinada obligación, prohibición o permisión de acuerdo con una norma o un conjunto de normas dados (ver 3.3. y 5.1.).

(2) *Proposiciones de existencia.* Una proposición de existencia puede formularse de la siguiente manera: "La norma N existe".

Dado que en torno a la noción de existencia han sido elaboradas numerosas teorías explicativas, no resulta posible determinar las condiciones de verdad de una proposición existencial sin asumir previamente una de ellas. Por tanto, tal proposición será verdadera si se satisface la condición establecida (ver 2.1. y 2.2.).

(3) *Proposiciones de validez.* Por lo general, tales proposiciones se expresan mediante oraciones como "La norma N es válida en el sistema S".

El término "validez", tal como se lo usa en el lenguaje jurídico, en general, y en el filosófico, en particular, es ambiguo y, por tanto, es posible distinguir varios significados de la afirmación de que una norma jurídica es válida, cada uno de ellos basado en un concepto distinto de *validez*. En este estudio se dirá que una norma es válida en el sentido de que pertenece a un sistema jurídico. Este concepto de validez es descriptivo, porque la oración "N es válida" expresa una proposición, y relativo, porque hace referencia a una relación entre una norma y un sistema (la misma norma puede pertenecer a un sistema y no pertenecer a un sistema diferente). Establecer los criterios de pertenencia de normas a sistemas es tarea que realizaremos más adelante (ver 3.3.).

(4) *Proposiciones de vigencia.* Tales proposiciones se formulan, por lo común, mediante oraciones como "La norma N está vigente".

Una norma está vigente si, y sólo si, hay buenas razones para afirmar que será aplicada en caso de que se den las condiciones para su aplicación. Es importante advertir que, de acuerdo con esta interpretación, la aserción "La norma N está vigente" es una afirmación predicativa de una propiedad disposicional y no una predicción. Tal proposición no es una predicción de futuras aplicaciones de la norma N, sino una predicación de la propiedad disposicional de N de ser aplicada en determinadas circunstancias. La formulación "La norma N está vigente" significa, básicamente, "Si se dieran determinadas condiciones, entonces N sería aplicada" (ver 11.3.).

(5) *Proposiciones de eficacia.* La formulación habitual de estas proposiciones es la siguiente: "La norma N es eficaz en el grupo G, en el tiempo T".

Una norma es eficaz si, y sólo si, es obedecida por los sujetos a los que se dirige. Esto supone cierta adecuación o correspondencia entre lo prescrito por la norma y la conducta de los destinatarios: la norma prescribe un estado de cosas determinado y los sujetos producen tal estado de cosas en virtud de la norma en cuestión. El grado de adecuación de la conducta a lo prescrito por la norma admite variaciones y es relativo a un grupo social determinado y a un momento dado (ver 2.1.3.).

(6) *Proposiciones de interpretación.* La forma común de estas proposiciones es "La formulación normativa F expresa la norma N", o bien "La formulación normativa F tiene el significado S".

Para elucidar este punto conviene distinguir claramente dos concepciones bien distintas de la actividad de interpretación. Para una, la tarea de interpretar consiste en la detección de un significado existente y, para la otra, la adjudicación (total o parcial) de un nuevo significado. La primera de las actividades es empírica, a pesar de que los significados no son entidades empíricas. El significado de una expresión está dado por el *uso común* del lenguaje corriente o del lenguaje jurídico, o bien por la *intención* del autor de la expresión (en nuestro caso, de la autoridad que emitió la norma). Ambos pueden ser investigados y eventualmente determinados con métodos empíricos. Sin embargo, en ciertas circunstancias puede resultar imposible detectar el significado de una expresión (como ocurre cuando ella es obscura o ambigua). En tales casos puede resultar necesario adjudicar un significado a la expresión, cosa que los juristas hacen, por lo general, mediante definiciones estipulativas que funcionan como propuestas. Una vez que una definición estipulativa de este tipo es generalmente aceptada por la comunidad jurídica, se convierte en definición descriptiva, a saber, descriptiva de los usos lingüísticos existentes (ver 9.1.).

(7) *Proposiciones de relación*. Aproximadamente, las proposiciones relacionales tienen la siguiente forma: "La norma N1 guarda la relación R con la norma N2 en el sistema S".

Algunas de las relaciones que se establecen entre normas de un sistema son la *redundancia* y la *incoherencia*. Dos normas son redundantes en un caso C de un universo de casos UC en relación a un universo de soluciones US si, y sólo si, cada una de ellas correlaciona C con el mismo elemento de US. Si dos normas no son redundantes en un caso, son independientes en ese caso. Por otro lado, dos normas son incoherentes en un caso C de un universo de casos UC en relación a un universo de soluciones US si, y sólo si, cada una de ellas correlaciona C con dos o más soluciones distintas de US. Si dos normas no son incoherentes en un caso, son coherentes en ese caso. En estrecha relación con las nociones de redundancia y coherencia, se halla la de *completitud*, la cual queda definida en términos de *lagunas*: un sistema S es completo en relación a un universo de casos UC y un universo de soluciones US si, y sólo si, no tiene lagunas en UC en relación a US. Decir que un caso C de un universo de casos UC es una laguna del sistema S en relación a un universo de soluciones US, significa que en S no se correlaciona C con solución alguna del universo de soluciones US. Cuando un sistema tiene por lo menos una laguna en UC, se dice que es incompleto. Sobre estas relaciones volveremos luego (ver 10.1.).

(8) *Proposiciones de aplicación*. Una proposición de aplicación puede presentarse como "La norma N es (fue) aplicada en la resolución del caso C".

La noción de aplicación de una norma se halla relacionada con las nociones de resolución y de caso. Afirmar que una norma determinada ha sido aplicada en la resolución de un caso dado equivale a afirmar que esa norma ha sido usada en la resolución de ese caso. De este modo, es condición necesaria y suficiente de la aplicación de una norma en un caso determinado que el órgano encargado de resolverlo justifique en ella su decisión del caso (ver 11.3.).

(9) *Proposiciones de valor.* Una proposición de valor tiene la forma básica siguiente: "La norma N tiene el valor moral V".

Que los juicios de valor sean verdaderos o falsos es cuestión controvertida en la filosofía moral, al punto que existen en ella dos posturas inconciliables: la *descriptivista* y la *no-descriptivista.* Para la primera, los enunciados valorativos describen algún tipo de hecho y son, por lo tanto, susceptibles de verdad o falsedad. Para la segunda, en cambio, tales enunciados no pretenden transmitir información acerca de la realidad (al menos no primariamente), sino influir en la conducta humana o servir de medio para la expresión de emociones. Consiguientemente, enunciados del tipo "La norma N es justa" o "La norma N es injusta" serán considerados proposicionales según la postura asumida; sus condiciones de verdad dependerán, en el primer caso, de la teoría ética aceptada.

Esta amplia variedad de proposiciones normativas ha pasado, a pesar de su importancia, un tanto inadvertida para los teóricos del derecho. Como hemos visto, la noción de *proposición normativa* ha sido utilizada en forma bastante restringida. Importa tener presente que sin una distinción clara entre normas y proposiciones normativas no resulta posible un tratamiento adecuado del lenguaje normativo y que sin esta distinción crucial los resultados pueden ser devastadores. Un ejemplo de ello es el que viene a continuación.

1.4. "Debe" y "es": un intento de derivación

1.4.1. En un pasaje repetidas veces citado del *Tratado de la naturaleza humana* afirma Hume que los sistemas morales parten de formulaciones del tipo "es" y pasan, de pronto, a formulaciones del tipo "debe ser". Este paso sería de suma importancia, pues ese "debe" introducido expresa una nueva relación. Para Hume, es impensable que prescripciones del tipo "debe" puedan deducirse de afirmaciones del tipo "es", puesto que son por completo diferentes (Hume 1739, 689-690); de ahí que tal imposibilidad se denomine "Ley de Hume". Conforme a dicha ley, ninguna norma puede deducirse de un conjunto de premisas que no contenga al menos una norma. La Ley de Hume se sustenta en la tesis de que nada hay en la conclusión que no esté en las premisas.

En su influyente obra *Actos de habla* (Searle 1969) y en un artículo anterior a ella titulado "Cómo derivar 'debe' de 'es'" (Searle 1964), John Searle se ha ocupado detenidamente de la cuestión. Searle afirma que del hecho de que alguien haya prometido algo puede concluirse, exclusivamente en virtud del significado del verbo "prometer", que el interesado tiene la obligación de cumplir lo prometido. En virtud de ello, la *afirmación* de que alguien ha hecho una promesa implicaría la *prescripción* de que tiene que cumplirla. La pretensión de Searle es mostrar que la tesis contenida en la Ley de Hume es equivocada y que de premisas fácticas pueden deducirse conclusiones normativas. Como él mismo señala, ninguna tesis de la obra mencionada ha suscitado ni suscitará tantas controversias como ésta (Searle 1969, 191).

Los críticos de Searle han dirigido sus objeciones –hasta donde sé– a blancos diferentes de aquél al que pienso yo dirigir las mías. A mi modo de ver, las réplicas efectuadas a la propuesta de Searle no han sido lo suficientemente claras ni sólidas como para debilitar o destruir su posición. Debo advertir que el error que atribuiré a Searle es, quizás, excesivamente tosco, aunque no por eso poco frecuente. A pesar de ello, confieso que creo estar en lo cierto, como trataré de demostrar, al imputárselo.

1.4.2. La distinción entre hecho y valor, como bien señala Searle, es una de las más viejas distinciones filosóficas. Según él, "la creencia en esta distinción tiene como base el reconocimiento de que los valores se derivan, en algún sentido, de las personas y no pueden residir en el mundo" (Searle 1969, 178). Una de las dificultades que plantea la distinción radica, justamente, en lo que se ha considerado un abismo lógico insuperable entre el *ser* y el *deber ser*. En este sentido, la idea de Searle ha sido investigar en profundidad la pretendida imposibilidad lógica de derivar una norma a partir de un conjunto de proposiciones o, en sus propios términos, investigar la tesis conforme a la cual "ningún conjunto de enunciados descriptivos puede entrañar un enunciado valorativo" (Searle 1969, 178).

En su opinión, uno de los obstáculos que impide ver este asunto con claridad consiste en atribuirle excesiva importancia: "Si se está convencido de antemano –ha dicho- de que la cuestión de si 'debe' puede derivarse de 'es' dependen grandes soluciones, entonces puede que haya verdaderas dificultades a la hora de obtener una representación clara de las cuestiones lógicas y lingüísticas que allí se incluyen" (Searle 1969, 179). Debo confesar que, en principio, me inclino a creer que Searle tiene razón en esto y que conviene restarle trascendencia, al menos temporalmente, a las consecuencias filosóficas de la cuestión. Por de pronto, pues, diré como él que estoy interesado en una tesis de filosofía del lenguaje y no en una tesis de filosofía moral o filosofía jurídica, aunque admito, obviamente, que tiene que ver, efectivamente, con ellas. Mi crítica a Searle se desarrollará entonces dentro de ese marco.

1.4.3. Según Searle, el procedimiento más simple para mostrar que la posición de Hume es errada consiste en recurrir a un contraejemplo. En este sentido, un contraejemplo a la tesis de que no es posible derivar *debe* de *es* puede desarrollarse, sostiene Searle, tomando una proposición o un conjunto de proposiciones y mostrar cómo se relacionan ellas, lógicamente, con una norma (Searle 1969, 180). Por ejemplo: (1) Eugenio dijo: "Carlos, prometo darte mil pesetas" (2) Eugenio prometió dar a Carlos mil pesetas (3) Eugenio asumió la obligación de dar a Carlos mil pesetas (4) Eugenio tiene la obligación de dar a Carlos mil pesetas (5) Eugenio debe dar a Carlos mil pesetas.

Conforme a la tesis de Searle (4) tiene carácter descriptivo; (5), en cambio, tiene carácter prescriptivo en virtud de la presencia del término "debe": "si una persona está bajo una obligación de hacer algo, entonces, por lo que respecta a esa obligación, esa persona debe hacer lo que está bajo la obligación de hacer" (Searle 1969, 183-4). Así, sobre esta base, dice Searle, se ha derivado *debe* de *es*: "la demostración revela la conexión entre la emisión de ciertas palabras y el acto de prometer, a continuación despliega la promesa en obligación y pasa de la obligación al 'debe'" (Searle 1969, 185).

A mi entender, el *debe* obtenido por Searle no constituye, en realidad, un *debe* prescriptivo sino un *debe* descriptivo. El error de Searle radica en no considerar lo que von Wright ha llamado "ambigüedad sistemática de las oraciones deónticas" (von Wright 1963, 119, 146). Creo incluso que, de alguna manera, Searle es consciente de que algo como lo que acabo de advertir puede hallarse subyacente a la tesis que sostiene; en términos no poco irónicos se anticipa a eventuales críticas atribuyéndole a un discutidor imaginario la siguiente afirmación: "cualquier esfuerzo para derivar un 'debe' de un 'es' tiene que ser una pérdida de tiempo, pues todo lo que podría mostrarse, incluso si se tuviera éxito al hacerlo, sería que el 'es' no era un 'es' real, sino solamente un 'debe' disfrazado o, alternativamente, que el 'debe' no era un 'debe' real sino solamente un 'es' disfrazado" (Searle 1969, 187). En su propia versión, pues, lo que encuentro en su argumentación es un *es* con disfraz de *debe* o, en explicación provisoria no mucho más clara, una *descripción* con apariencia de *prescripción*. Antes he señalado que las oraciones deónticas exhiben una ambigüedad característica: algunas veces se usan como formulaciones de normas (en función prescriptiva) y otras como formulaciones de proposiciones normativas (en función descriptiva). Así, las mismas palabras pueden usarse para formular una norma, esto es, emitir una prescripción, y para formular una proposición normativa, es decir, brindar información acerca de una norma.

1.4.4. Según hemos visto, el conjunto de formulaciones de Searle es el siguiente: (1) Eugenio *dijo*: "Carlos, prometo darte mil pesetas" (2) Eugenio *prometió* dar a Carlos mil pesetas (3) Eugenio *asumió la obligación* de dar a Carlos mil pesetas (4) Eugenio *tiene la obligación* de dar a Carlos mil pesetas (5) Eugenio *debe* dar a Carlos mil pesetas.

Sobre la base anterior, un análisis elemental del contenido de la lista precedente pondrá de manifiesto que: (1) describe *lo que dijo* Eugenio; (2) describe *lo que hizo* Eugenio al decir lo que dijo; (3) describe *la consecuencia (el efecto) de lo que hizo* Eugenio al decir lo que dijo; (4) describe la *existencia de una norma* individual obligatoria, y (5) es sinónimo de (4). En términos de la teoría Austin-Searle de los actos de habla (1) es una descripción del *acto locucionario*, es decir, del *acto de decir* (2) del *acto ilocucionario* y (3) del *acto perlocucionario*, es decir, del *acto de decir*, de *lo realizado al decir* y de *los efectos producidos* (al hacer lo que se hizo mediante lo que se dijo), respectivamente.

La situación de (4) y (5) requiere algunas explicaciones más detenidas. A mi modo de ver (4) y (5) presuponen la existencia de una norma genérica de obligación conforme a la cual todo aquel que promete algo debe cumplir lo prometido. No estoy seguro de que Searle fuera a aceptar esta afirmación, puesto que, según él, en ningún caso aparece como necesaria una premisa normativa para hacer funcionar la derivación (Searle 1969, 184); por otro lado, en cambio, admite que no sería acabado "ningún análisis de prometer que no incluya la característica de que la persona que promete se coloca a sí misma, asume, acepta o reconoce *una obligación* respecto de la persona a quien promete realizar algún futuro curso de acción" (Searle 1969, 181; las cursivas son mías). De este modo, aunque Searle se resista a aceptarlo, no es posible evitar incluir un elemento normativo en el esquema. Además, él mismo señala que determinados actos (como prometer) sólo existen en el marco de ciertas instituciones, esto es, dentro de un sistema de normas que crean o definen y regulan formas de conducta (Searle 1969, 42-51, 58-61). Pienso que esto sería suficiente para sostener que en todo el esquema de Searle hay normas en juego, explícita o implícitamente.

Lo que expresan (4) y (5) es, pues, una proposición normativa, dado que informan acerca de la existencia de una norma. El mismo Searle parece así admitirlo al decir: "la existencia de la obligación se circunscribe al momento de la asunción de la obligación, y que *el 'debe' es relativo a la existencia de la obligación*" (Searle 1969, 185; las cursivas son mías). Aunque la cita mencionada arroja luz sobre la cuestión, considero necesarias algunas precisiones más.

Hart ha aclarado puntualmente esta cuestión. Según él, "el enunciado de que alguien tiene o está sometido a una obligación, implica sin duda alguna la existencia de una regla" (Hart 1961, 107). En su opinión, decimos que una norma impone obligaciones "cuando la exigencia general en favor de la conformidad es insistente, y la presión social ejercida sobre quienes se desvían o amenazan con hacerlo es grande" (Hart 1961, 107). Debe sumarse a ello que "las reglas sustentadas por esta presión social seria son reputadas importantes porque se las cree necesarias para la preservación de la vida social o de algún aspecto de ella al que se atribuye gran valor" (Hart 1961, 108). Aunque tengo reservas sobre la explicación de Hart, en este caso considero su versión suficientemente adecuada para elucidar la cuestión que nos ocupa en razón de que he aceptado enfrentar el problema no desde una perspectiva iusfilosófica sino meramente lingüística (ver 3.1. y 3.2.).

Según Hart, la afirmación de que una persona tiene una obligación merece dos observaciones: primero, que presupone la existencia de cierta regla que actúa, según dice Hart, como "trasfondo normal o contexto propio, aunque no expreso, de tal enunciado"; segundo, que su "función distintiva es aplicar tal regla general a una persona particular, destacando el hecho de que su caso queda comprendido por ella" (Hart 1961, 106). La observación de Hart constituye lo que conocemos habitualmente bajo el nombre de "subsunción", mecanismo que posibilita establecer, a partir del caso genérico, la solución para el caso individual (ver 11.3.).

Diferente sería la situación bajo el esquema siguiente: (1) Todo aquel que promete algo debe cumplir lo prometido (2) Eugenio ha prometido algo (dar mil pesetas a Carlos) (3) Por tanto, Eugenio debe cumplir lo prometido. En este nuevo esquema (3) es una norma, pero una norma obtenida mediante la derivación de otra, en conjunción con una proposición: (1) es una norma general (2) es una proposición relativa al hecho condicionante de la norma contenida en (1), y (3) es una norma individual derivada lógicamente de (1) y (2). Searle, sin embargo, rechaza expresamente un modelo explicativo similar al que acabo de proponer, por razones que, confesaré, no me resultan convincentes (Searle 1969, 187).

1.4.5. Sintetizo y concluyo: Searle omite efectuar una distinción sumamente importante, la distinción entre normas y proposiciones normativas. Sobre la base de dicha omisión, pasa por alto el uso descriptivo de las oraciones deónticas y considera que, por la mera presencia de un término deóntico, la oración constituye una formulación normativa y expresa una norma, lo que supone caer en los errores que provoca no considerar la ambigüedad sistemática de las oraciones deónticas. Por tal motivo, Searle cree haber derivado "debe" de "es" cuando, en realidad, no ha salido del plano del *ser*: todos los elementos del conjunto analizado (premisas y conclusión) son descriptivos. En todo el esquema están presupuestas normas reguladoras de conducta, lo que hace difícil sostener que es posible derivar "debe" de "es" sin necesidad de incluir premisas normativas. Mi anterior observación, sin embargo, no necesita ser defendida con tanta fuerza para demostrar que Searle no ha derivado "debe" de "es" sino sólo en apariencia: Searle, en rigor, ha descrito una serie de circunstancias y nada más que eso.

2

Ontología, normas
y prescripciones

2.1. Las nociones de norma y de existencia

2.1.1. La cuestión que radica en determinar en qué circunstancias es verdad que existe una norma, dista mucho de hallarse resuelta. Esto es así, entre otros motivos, porque los filósofos no han prestado suficiente atención al problema, si no lo han trivializado o directamente ignorado. Demasiados teóricos parecen creer que la noción de existencia de una norma es poco problemática y que, por consiguiente, no requiere especial discusión. Sin embargo, resulta extremadamente dudoso que un único concepto de existencia pueda dar cuenta de diversos tipos de normas, puesto que –como se sabe– el campo de lo normativo no es homogéneo. Sucede que la expresión "norma" es utilizada en diferentes sentidos, por lo que cabe distinguir varios conceptos de norma y sostener que resultaría verdaderamente extraordinario que no hubiesen diferencias en cuanto a sus condiciones de existencia. Este hecho fuerza a una prolija distinción entre diversos tipos de normas, de modo a indagar sus condiciones de existencia por separado, en cada caso. Además, resulta importante deslindar la noción de existencia de otras propiedades que se atribuyen con frecuencia a las normas prescriptivas, tales como validez, vigencia o eficacia. Esto es relevante porque hay una marcada tendencia a asimilar la noción de existencia a estas otras. Veamos esto con mayor cuidado.

2.1.2. El término "norma" carece de un significado preciso y es utilizado en diversos contextos con diferentes sentidos. Así, expresiones como "regla", "pauta", "guía", "precepto", "modelo", "patrón", "prescripción", "directiva", "disposición" y "directriz" aparecen como sinónimos parciales del vocablo "norma". Ante esta situación, una manera efectiva de eludir eventuales complicaciones en el análisis consiste en poner en evidencia esta multiplicidad de sentidos de la palabra o, si se prefiere, en advertir sobre la existencia de una importante variedad de tipos o especies de normas (von Wright 1963, 21-35; Elster 1989, 119-177; Mendonca 1995, 15-17).

(1) Las *normas definitorias* son aquellas que definen o determinan una actividad o un concepto. Las reglas de un juego, por ejemplo, determinan los movimientos admitidos dentro de él. Desde ese punto de vista son las reglas las que establecen cuáles son los movimientos correctos e incorrectos en el juego. También las reglas de la gramática constituyen normas definitorias, y es así que, mediante el control de tales reglas, afirmamos que una persona habla correcta o incorrectamente un idioma.

(2) Las *normas técnicas*, por su parte, indican un medio para alcanzar un fin determinado. Las normas técnicas no están destinadas a gobernar la voluntad de los sujetos a los cuales van dirigidas, sino que lo que ellas indican se halla condicionado a esa voluntad. Por lo tanto, ellas presuponen fines de la acción humana y conexiones necesarias entre los fines y los actos que sirven como medios para alcanzarlos. Por lo general, estas normas se hallan formuladas condicionalmente y en su antecedente aparece mencionada la voluntad del destinatario. El ejemplo paradigmático de este tipo de normas es el de las instrucciones para operar artefactos.

(3) Las *normas prescriptivas* son aquellas emanadas de la voluntad de una autoridad y destinadas a algún agente con el propósito de hacer que se conduzca de determinada manera. Para dar a conocer las prescripciones a los sujetos a los cuales ellas van dirigidas la autoridad promulga las normas, y para

darle efectividad a su voluntad de que los agentes hagan o se abstengan de hacer algo les agrega una sanción o amenaza de castigo. Dentro de este grupo pueden considerarse como ejemplos los mandatos, permisos y prohibiciones establecidos en las leyes estatales.

(4) Las *normas ideales* no se hallan referidas directamente a acciones sino que establecen ejemplares arquetípicos dignos de seguir o imitar y mencionan las virtudes características dentro de una clase dada. Este tipo de normas tiene relación más bien con un modo de ser que con un modo de hacer. De allí la estrecha relación de las normas ideales con la bondad y las virtudes, ya que estas reglas exigen que estén presentes ciertas propiedades en los miembros de un grupo. Constituyen muestras de normas ideales, aquellas que establecen cómo debe ser un buen padre de familia, un buen profesional o un buen marido.

(5) Las *normas sociales* marcan regularidades de conductas, disposiciones o tendencias a hacer cosas similares en situaciones semejantes. En general, las normas sociales son patrones de comportamiento compartidos por los miembros de un grupo social, y son sostenidas, al menos en parte, por su aprobación y desaprobación. Típicamente estas normas están vinculadas con determinadas emociones que genera en el grupo su infracción (ira, indignación, aversión, desprecio), así como en el mismo infractor (desconcierto, ansiedad, culpa, vergüenza). Con frecuencia estas normas se hacen cumplir mediante sanciones sociales de severidad muy variable.

(6) Las *normas morales*, por su lado, resultan de difícil caracterización por la falta de criterios identificadores. Es sabido que existen tres grandes concepciones filosóficas acerca del tipo de norma al cual las normas morales deben ser asimiladas: según la interpretación teológica estas normas emanan de una autoridad sobrenatural (Dios) y deben ser consideradas como prescripciones; de acuerdo con la interpretación teleológica tales normas deben ser consideradas como reglas técnicas que indican los medios para obtener un fin (la felicidad de los individuos en la interpretación eudemonista o el bienestar de la sociedad en la utilitarista) y, finalmente, según la interpretación deontológica las normas morales constituyen una categoría *sui generis*, una clase especial y autónoma de normas.

(7) Las *normas constitutivas* crean, modifican o extinguen ciertos estados de cosas, o bien adscriben cualidades a determinadas entidades. Por su forma y función, tales normas pertenecerían al género de las expresiones ejecutivas, cuyo origen puede hallarse en el uso operativo (performativo) del lenguaje (Austin 1962). En el ámbito de la teoría del derecho, por lo común, se ofrecen como ejemplos típicos de normas constitutivas las denominadas "normas derogatorias" y las llamadas "normas de competencia" (Carcaterra 1979, 64-5; Ross 1968, 123; Mendonca 1992, 167-175). La función de enunciados tales como "Derógase la norma N" o "El órgano O es competente para X" consiste en introducir cierta modificación en la situación jurídica de la norma N y el órgano O. La formulación de tales enunciados produce el paso de un estado de cosas a otro, esto es, provoca un cambio en la situación de las entidades a las cuales en ellos se hace referencia (ver 3.1. y 4.3.).

2.1.3. La noción de *existencia* resulta, a su vez, potencial o efectivamente conflictiva en la teoría de las normas. Esto es así, entre otras cosas, por la multivocidad del vocablo "existencia". Por ello, a fin de evitar las ambigüedades que el término presenta, distinguiremos cinco conceptos diferentes de existencia. A pesar de que el término en cuestión pertenece a la jerga filosófica, las distinciones conceptuales correspondientes aparecen en el discurso teórico de los juristas.

(1) *Existencia como acatamiento* o *existencia fáctica*. Cuando afirmamos que una norma existe en un grupo social, pretendemos señalar que tal norma está en vigor en ese grupo. Esta noción de existencia es explicada de manera diversa por los distintos autores. Kelsen (1960), utiliza el término *eficacia* y afirma que una norma es eficaz si es obedecida por los sujetos jurídicos o aplicada por las autoridades. Ross (1958) habla de *vigencia* y sostiene que una norma está vigente cuando es verdadera la predicción de que será usada en sentencias judiciales futuras como fundamento de la decisión. Hart (1961) analiza esta noción en términos de *aceptación* de la norma por el grupo social como pauta de comportamiento.

Este concepto fáctico de existencia es descriptivo, ya que afirmar que una norma existe en una determinada sociedad es informar acerca de un hecho, y admite diferentes grados de intensidad, puesto que una norma puede existir (estar vigente) en mayor o menor grado, cosa que depende del nivel de aceptación. Además, este concepto es relativo a un grupo social determinado y a un momento temporal específico.

(2) *Existencia como pertenencia o existencia sistemática.* En ocasiones se afirma que una norma existe cuando pertenece a un determinado sistema de normas. Por lo común, se sostiene que una norma pertenece a un sistema dado si ha sido creada por una autoridad competente y no ha sido derogada por la misma u otra autoridad del sistema. En von Wright (1963), como en muchos otros estudios, se utiliza el término "validez" para referirse a este concepto.

También esta es una noción descriptiva y relativa, ya que la misma norma puede pertenecer a un sistema dado y no pertenecer a otro, así como puede pertenecer a un sistema determinado en cierto momento y no pertenecer a él en otro.

(3) *Existencia como obligatoriedad o existencia normativa.* Desde este punto de vista se afirma que una norma existe si, y sólo si, es obligatoria. En Nino (1978) y (1985) se ha enfatizado que este concepto de existencia es normativo en el siguiente sentido: decir que existe una norma no supone afirmar un hecho, sino prescribir la obligación de obedecer la norma en cuestión. Por consiguiente, los juicios de existencia son ellos mismos normativos (prescriptivos) y no asertivos (descriptivos). Tanto Nino como Raz (1979) han sostenido, incluso, que la obligatoriedad implica no sólo que el destinatario de la norma debe comportarse como la norma prescribe, sino también que la norma está justificada, lo cual supone una concepción de la "normatividad justificada".

Este concepto de existencia difiere de los otros no sólo porque es normativo, sino también porque tiene el rasgo de ser absoluto y no relativo como aquéllos.

(4) *Existencia como promulgación o existencia formal.* En determinados contextos se consideran existentes ciertas normas que no son aceptadas ni son eficaces, que no pertenecen al sistema normativo en cuestión (por no haber sido dictadas por una autoridad competente) y que no son consideradas obligatorias. Tales normas existen (en este sentido) si han sido promulgadas (formuladas) por alguien (que no

necesita ser autoridad normativa competente), o bien si son consecuencias lógicas de normas promulgadas (formuladas). Claro está que este concepto, al igual que el de pertenencia, no es aplicable a normas consuetudinarias.

Esta noción de existencia ha pasado un tanto inadvertida para los teóricos, aunque resulta, sin embargo, de extrema importancia, puesto que, en cierto sentido, es la noción básica y primaria de existencia de las normas. En atención a estas circunstancias le dedicaremos el apartado próximo.

(5) *Existencia como abstracción* o *existencia ideal.* De acuerdo con esta noción de existencia, las normas son independientes del lenguaje, aunque sólo pueden ser expresadas por medios lingüísticos, su existencia no depende de expresión lingüística alguna. Existen normas (en este especial sentido) que no han sido formuladas (aún) en lenguaje alguno y otras que tal vez nunca serán formuladas. De este modo, la existencia de las normas depende, pues, única y exclusivamente, de la *posibilidad* de que sean formuladas lingüísticamente. Esta condición hace que las normas sean concebidas como el contenido conceptual de *posibles* actos de prescribir y, por lo tanto, como entidades abstractas, puramente ideales.

Por cierto, los cinco conceptos de existencia no son incompatibles entre sí, dado que una norma puede existir en los cinco sentidos o sólo en alguno de ellos. Pero algunas de estas nociones no son independientes, ya que están implicadas por (o presupuestas en) otras.

2.1.4. Kelsen es uno de los importantes defensores de la difundida noción de existencia sistemática: "Con el término 'validez' –dice– designamos la existencia específica de una norma" (Kelsen 1960, 23). También von Wright considera este enfoque como una posible interpretación de lo que él denomina *principio de validez*, el cual "puede ser entendido diciendo que la validez es un requisito (lógico) para el éxito de un acto normativo, que una norma no puede llegar a existir en un sistema como resultado de una acción normativa, a menos que sea dada por una autoridad adecuada, es decir normativamente competente" (von Wright 1968, 115). Esta identificación de la existencia con la validez, sin embargo, conduce –como bien se ha encargado de mostrar el propio von Wright– a un regreso al infinito, puesto que según esta concepción una norma requiere para su validez (existencia) la validez de otra norma, la que a su vez requiere la validez de una tercera, y así sucesivamente. Por tal motivo, señala correctamente von Wright (1963), la validez de una norma no puede ser relativa a la validez de otra norma sino sólo a la existencia de otra norma (von Wright 1968, 200). Esto muestra que la noción de validez presupone ya la de existencia (en el sentido de existencia formal) y que no puede ser idéntica a ella. Si la validez fuera una condición necesaria para la existencia de las normas, entonces ni las *normas soberanas* ni las *normas inválidas* podrían existir. De este modo, la existencia es independiente de la validez, al menos para aquellos que aceptan la existencia de normas soberanas e inválidas.

El hecho de que los juristas utilicen como equivalentes los términos "existencia" y "validez" no prueba, desde luego, que los dos conceptos sean idénticos. Lo que sucede, en realidad, es que dichos términos resultan altamente ambiguos. Pero si por "norma válida" se entiende una norma dictada por autoridad competente, es claro que la validez no se identifica con la existencia. Aunque es verdad que los juristas se interesan, generalmente, por aquellas normas que existen y son válidas, también es cierto que en algunos contextos se interesan por normas que aunque existentes son inválidas y por normas que aunque existentes no son válidas ni inválidas; el primero es el caso de las leyes inconstitucionales y las sentencias ilegales y el segundo el de las normas de la primera constitución de un orden jurídico.

En resumen: si aceptamos la existencia de normas inválidas y de normas soberanas —cosa que parece atinada— debemos entonces concluir que la validez no es condición necesaria para la existencia de las normas. Por un lado, tal postulación resulta razonable si consideramos, entre otras cosas, la tendencia a discutir la validez de las normas inconstitucionales: las normas inconstitucionales son inválidas pero ninguna duda cabe de que existen; de otro modo, cualquier discusión acerca de ellas sería una discusión sobre una entidad inexistente y, por lo tanto, una discusión absurda. Es precisamente porque tales normas existen que los hombres de derecho se ocupan de ellas y discuten los procedimientos idóneos para impugnarlas; poco sentido tendría buscar su impugnación si no existieran. Por otro lado, si se admite que el número de normas (positivas) existentes y válidas no puede ser infinito, debe aceptarse que el sistema no puede estar integrado únicamente por normas válidas: todo sistema debe contener un número (finito) de normas soberanas que constituyen el primer eslabón de la cadena. Tales normas soberanas satisfarán el criterio de existencia formal pero no satisfarán el criterio de validez: de estas normas derivará la validez de las demás, pero ellas mismas no serán válidas, ni inválidas, dentro del sistema (ver 5.2.1. y 5.3.).

2.2. Condiciones de existencia

2.2.1. Un modo interesante de encarar el problema de la existencia de las normas es el concebido en torno a la manera como se establece el proceso de comunicación entre autoridad normativa y sujetos destinatarios. Si se considera que el *fenómeno normativo* es, esencialmente, un *fenómeno lingüístico* mediante el cual un agente normativo emite un mensaje dirigido a uno o varios sujetos con el propósito de conseguir que ejecuten ciertas acciones y se abstengan de realizar otras, la idea resulta bastante clara. Como en todo proceso de comunicación, en la emisión de normas se exige, básicamente, la presencia de los siguientes elementos: un *emisor* o sujeto responsable de disponer en un *código* lingüístico el contenido o *mensaje* objeto de la comunicación y un *receptor* o sujeto destinatario de la misma; a estos cuatro elementos básicos se añade un quinto, el *canal* o *soporte*, que actúa como medio portador del mensaje. En pocas palabras, pues, el emisor es quien transmite el mensaje valiéndose de un medio o canal que habrá de llevarlo al receptor, su punto de destino.

Según se afirma, la *comunicación* no se produce sino hasta que el receptor ha llegado a captar el mensaje; de otro modo, más que de comunicación es forzoso hablar de *transmisión* de mensajes. Esta distinción resulta de suma importancia a nuestros propósitos, ya que en torno a ella gira la discusión acerca de las *condiciones de existencia* de las normas. En tal sentido, dos posiciones teóricas básicas han sido asumidas: de acuerdo con la primera, la existencia de las normas exige la *comunicación* de mensajes normativos, es decir, emisión y recepción, y, conforme a la segunda, para la existencia de las normas basta su *transmisión*, esto es, la emisión del mensaje normativo, independientemente de su recepción por el destinatario. En von Wright (1963), por ejemplo, fue sostenida la primera posición, mientras que en Alchourrón-Bulygin (1979) fue desarrollada la segunda.

2.2.2. Von Wright (1963) ha explicado que las normas prescriptivas se generan mediante un modo especial de acción humana al que ha denominado "acción normativa". La actividad característica de este modo de acción es una *actividad verbal* que consiste en el uso de cierto tipo de expresiones con el propósito de *hacer saber* a los sujetos destinatarios, por medio del lenguaje u otros símbolos, lo que la autoridad emisora pretende que hagan o se abstengan de hacer. Así, el dar una prescripción es un acto lingüístico cuya ejecución tiene como *resultado* la existencia de una norma y como *consecuencia* la eventual influencia sobre la conducta de los destinatarios de la prescripción (von Wright 1963, 131).

En tal contexto, es importante tener presente la distinción entre *norma* y *formulación de norma*, dado que –según von Wright– "la formulación de la norma es el signo o símbolo (las palabras) usadas al enunciar (formular) la norma" (Von Wright 1963, 109). De acuerdo con este punto de vista, "las formulaciones de las normas pertenecen al lenguaje. 'Lenguaje' tiene en este caso que ser entendido en un sentido amplio. Una luz de tránsito, por ejemplo, normalmente sirve como formulación de una norma. Un gesto o una mirada, incluso cuando no van acompañados de palabras, algunas veces expresan un mandato" (Von Wright 1963, 109). Por esta razón, señala von Wright, puede decirse que las normas dependen del lenguaje, puesto que "la existencia de prescripciones necesariamente presupone el uso del lenguaje en las formulaciones de las normas" (Von Wright 1963, 110). Sin embargo, en la teoría de von Wright, la emisión de la norma por parte de la autoridad normativa es condición necesaria pero no suficiente para la existencia de las normas, puesto que se requiere, además, su *recepción* por los sujetos destinatarios. Este enlace entre emisor y receptor, al que von Wright denomina "vinculación normativa", determina el tiempo de existencia de las normas: una norma existe a partir del momento en que se establece la vinculación normativa y sobrevive mientras ella subsiste. En tal sentido, advierte von Wright: "las prescripciones no sólo cobran existencia, sino que también dejan de existir. Las prescripciones cesan de ser cuando se disuelve la vinculación bajo norma que el dar las prescripciones estableció. La vida de una prescripción es así la duración de la vinculación entre una autoridad-norma y uno o varios sujetos-norma" (Von Wright 1963, 132). Esto supone, obviamente, que las normas tienen una existencia temporalmente limitada.

2.2.3. En Alchourrón-Bulygin (1979) se observó que, tratándose de normas generales –como son la mayor parte de las normas jurídicas– resulta claro que ellas existen con absoluta independencia de su recepción por parte de los sujetos normativos y que hacer depender su existencia de la recepción efectiva por parte de ellos llevaría al absurdo de que la misma norma debería ser considerada como existente en relación a algunos sujetos y como inexistente en relación a otros. Además, la ficción de que el derecho es conocido por todos impide alegar la ignorancia de las normas emitidas por la autoridad, lo que fuerza a sostener que la existencia de las normas es previa e independiente de su recepción por parte de los destinatarios (Alchourrón-Bulygin 1979, 30-31). Por otro lado, puede ocurrir, incluso, que al tiempo de la emisión de la norma no exista, de hecho, sujeto destinatario, es decir, que la clase de los sujetos normativos sea una clase vacía (Alchourrón-Bulygin 1979, 37). De este modo, la concepción de von Wright sobre la existencia de las normas tiene, cuando menos, un campo de aplicación sumamente restringido en el ámbito del derecho.

Por esas y otras razones se sostuvo en Alchourrón-Bulygin (1979) y (1991) que la emisión de la norma es la única condición suficiente y necesaria para su existencia. De acuerdo con este nuevo criterio, todo acto de prescribir da lugar a la existencia de una norma y sin el acto lingüístico de prescribir no hay norma alguna (Alchourrón-Bulygin 1979, 37 y 49). De este modo, la existencia de las normas depende, pues, única y exclusivamente, del acto de prescribir: las normas existen a partir del momento en que son emitidas, con independencia de su recepción y cualquier otra circunstancia (Alchourrón-Bulygin 1979, 43).

Ahora bien, si la existencia de las normas depende exclusivamente de la ejecución del acto de prescribir, entonces dicha existencia coincide con la duración de tal acto (comienza y termina junto con él) o bien la norma comienza a existir con la ejecución del acto pero no necesita nada más para seguir existiendo. En la primera hipótesis la norma existiría un tiempo muy limitado, el tiempo que dura el acto de prescripción, y en la segunda tiempo ilimitado, puesto que una vez que ha cobrado existencia ya no puede dejar de existir, dado que el acto realizado no puede ser eliminado, como ningún acto lingüístico una vez ejecutado. Desde este punto de vista, la temporalidad de una norma está dada en función de su pertenencia a un sistema y no en función de su existencia. En tal sentido, la pertenencia de una norma no tiene por qué ser continua, puesto que la misma norma puede pertenecer al sistema en un momento dado, no pertenecer al sistema en un momento posterior y volver a pertenecer al sistema en un tiempo siguiente.

2.2.4. Una tercera alternativa ha sido sugerida para dar cuenta de las condiciones de existencia de las normas. De acuerdo con esta postura, ni la emisión ni la recepción del mensaje normativo son condiciones necesarias para postular la existencia de una norma; lo único que se requiere para ello es la producción del mensaje. Desde este punto de vista, una norma existe desde el momento en que el emisor genera el mensaje, lo codifica, eligiendo los símbolos para expresarlo y disponiéndolos de manera sistemática. Si consideramos que los mensajes son contenidos conceptuales expresados en determinada forma mediante el empleo de cierto código, podemos sostener entonces que un mensaje existe desde su codificación por el emisor, con independencia, incluso, de su emisión.

Hemos señalado con anterioridad que la acción normativa es una actividad verbal que consiste en formular ciertas expresiones lingüísticas con el propósito de *hacer saber* a los sujetos destinatarios lo que la autoridad emisora pretende que hagan o se abstengan de hacer. Si consideramos ahora que la autoridad puede ejecutar actos normativos sin la intención de que los destinatarios conozcan sus contenidos, podemos llegar a la conclusión de que esta tercera concepción resulta aceptable. Sin embargo, si el objetivo perseguido al dictar normas es regular conductas, tiene poco sentido ejecutar actos normativos cuyos contenidos resulten desconocidos para los sujetos afectados por ellos. Además, la validez de tales normas sería discutible debido a la conocida prohibición de emitir normas secretas; al tener la publicidad de los actos normativos reconocimiento generalizado en los sistemas jurídicos avanzados, no resulta admisible que la autoridad formule normas y no las dé a conocer a sus destinatarios. No obstante las objeciones planteadas, importa insistir en que la falta de publicidad de los actos normativos afecta a la validez de las normas, entendida ésta como pertenencia a un sistema, y no a su existencia. Claro está que sigue siendo preferible sostener, al menos en el ámbito jurídico, que una norma existe desde su emisión por la autoridad normativa y no desde su mera formulación lingüística.

Una variante de esta tercera opción ha sido sugerida en Alchourrón-Bulygin (1979) (1981) y (1984). De acuerdo con este nuevo punto de vista, las normas son independientes del lenguaje, aunque sólo pueden ser expresadas mediante él. Esto supone que la existencia de las normas no depende de expresión lingüística alguna y que hay normas que no han sido formuladas aún en lenguaje alguno y que incluso, tal vez, nunca sean formuladas. Una norma es, en esta concepción, obviamente, una entidad abstracta, una entidad puramente conceptual. En este sentido abstracto, una norma es el contenido significativo de un *posible* acto de prescribir. Así como una proposición puede definirse como la descripción de un estado de cosas *posible*, una norma puede ser concebida como una prescripción *posible* de un estado de cosas (Alchourrón-Bulygin 1979, 24-25, Alchourrón-Bulygin 1991, 122-123 y 156-157). Pero si ocurre —como en el derecho— que las normas que interesan, en principio, son las normas positivas, presenta entonces poco interés determinar las condiciones de existencia de estas normas no emitidas por autoridad alguna. Además, podría objetarse que si el elemento normativo está ligado al uso prescriptivo del lenguaje, no habrían entonces normas en este sentido ideal, ya que, haciendo abstracción del aspecto pragmático, no habría normas a nivel puramente semántico.

2.3. Las prescripciones y su estatus ontológico

2.3.1. En estrecha relación con el problema de las condiciones de existencia de las normas se halla el de su *estatus ontológico*. La tarea central en torno a él consiste en determinar qué es lo que existe cuando afirmamos que existe una norma. En la formulación original de von Wright (1963) se señalaba que "el problema ontológico es esencialmente la cuestión de qué signifique decir que *hay* (existe) tal y cual norma" (Von Wright 1963, 123). Este problema ha sido objeto de interés variable en la filosofía del derecho, aunque ha ganado relativa importancia en tiempos recientes. Por otro lado, en cambio, un tema recurrente en la filosofía de la lógica hace referencia a la pregunta acerca de la clase de entidades de que, primariamente, se ocupa la lógica. En este ámbito, las alternativas que se presentan habitualmente son las siguientes: *oraciones, enunciados* y *proposiciones*. A pesar de que el problema dista mucho de hallarse resuelto en la filosofía de la lógica, la otra cuestión parece estar aún menos clara en la filosofía del derecho. Es indudable que el interés radica en las *normas*, pero determinar qué tipo de entidades sean ellas es cuestión sumamente controvertida. Una de las razones por las cuales la discusión y resolución de estos problemas se hacen confusas y difíciles es la escasa uniformidad de tratamiento de las nociones involucradas. Por ello, en orden a evitar posibles confusiones, conviene distinguir claramente unos de otros ciertos conceptos relacionados entre sí.

Entenderemos por "oración" toda cadena de expresiones del lenguaje natural, gramaticalmente correcta y completa. Así,

(1) La mañana está soleada
(2) ¿Deseas beber una copa de vino?
(3) ¡Apaga el cigarrillo!

son oraciones; en cambio,

(4) Sentado estando
(5) ¿Encendida luz está la?
(6) ¡Silénciate ayer!

no lo son. Aunque esta breve explicación es bastante imprecisa, parece suficiente para expresar la idea que tenemos en mente. Sin embargo, es necesario distinguir entre *tipos* y *casos* de oraciones. Una *oración-caso* es un objeto físico, una serie de marcas en el papel o de ondas sonoras que constituyen una oración escrita o hablada. Empero, en ciertas ocasiones se considera a dos o más casos como inscripciones o elocuciones de una misma oración; la expresión "la misma oración" significa en este contexto "el mismo tipo de oración". Por ejemplo, las inscripciones

(7) Los papeles están sobre la mesa
(8) Los papeles están sobre la mesa

son dos casos del mismo tipo. Obviamente, una *oración-caso* consiste, pues, en una concreta serie de sonidos o trazos que se dan en un tiempo y lugar determinados. Una *oración-tipo*, en cambio, es una expresión en el sentido en que podría decirse que una misma oración se da en una pluralidad de casos. Por tanto, una *oración-tipo* consiste así en un complejo de sonidos o trazos dotados de significado. No se trata de los sonidos o los trazos con abstracción del hecho de poseer significado, pero tampoco se trata de un puro significado o contenido de oración, abstracción hecha de toda expresión suya (oral o escrita).

En síntesis, las oraciones-caso son entidades concretas, localizadas en determinadas coordenadas espacio-temporales; son entidades físicas, como sonidos, por ejemplo, o manchas de tinta sobre papel. Por ello, cuando se escribe dos veces una oración, como en el caso anterior, no se ha escrito dos veces la misma oración-caso, sino que se ha escrito dos oraciones-caso *distintas*. Esto no implica que se niegue el claro parecido entre ellas: lo que se sostiene es que son distintas en el sentido de que no son el mismo objeto físico. Si consideramos que una oración-caso es un objeto físico y que un mismo objeto no puede estar en dos lugares diferentes al mismo tiempo, debemos concluir que las dos oraciones anteriores no pueden ser la misma oración. Las oraciones-tipo, en cambio, carecen de coordenadas espacio-temporales, aunque pueden tener oraciones-caso con esa forma que sí tengan tales coordenadas. La existencia de oraciones-tipo, sin embargo, no depende de la existencia de casos de la misma, ya que puede ocurrir que haya oraciones-tipo no ejemplificadas en el espacio-tiempo, e incluso oraciones-tipo que jamás serán ejemplificadas.

Por otro lado, entenderemos por "enunciado" aquello que se dice cuando se emite o se inscribe una oración. Esta expresión exige cierto cuidado debido a una ambigüedad destacable: el término "enunciado" es ambiguo entre el *suceso* de la elocución o inscripción de una oración y el *contenido* de lo que se inscribe o emite. Distinguiremos, pues, entre la enunciación como *acto* y la enunciación como *oración* resultante del acto, sin perder de vista que ambos no son independientes y que el acto de enunciar supone una oración enunciada y que el enunciado como oración presupone la ejecución del correspondiente acto de enunciación. Un *enunciado* es, en un sentido gramatical, una oración enunciativa o declarativa, donde por "oración" hay que entender una *oración-tipo*. El acto de *enunciar* algo consiste en proferir una oración enunciativa con el propósito de efectuar una aserción. Claro está el significado de "enunciado" no es el mismo en este contexto que en el sentido.gramatical a que nos hemos referido con anterioridad, puesto que personas que profieren la misma oración enunciativa no están aseverando necesariamente lo mismo, y una persona podría hacer diferentes aserciones profiriendo la misma oración enunciativa en ocasiones diversas. A la inversa, una persona puede proferir dos diferentes oraciones enunciativas en instantes diversos y aseverar lo mismo por dos veces mediante ellas. Más aún, ni tan siquiera se da el caso de que el que expresa oral o gráficamente una oración enunciativa esté enunciando necesariamente algo.

Finalmente, por "proposición" entenderemos, en principio, lo que es común a un conjunto de oraciones declarativas sinónimas. De acuerdo con este sentido de "proposición", dos oraciones declarativas expresarán la misma proposición si tienen el mismo significado. Resulta claro, en relación con esta concepción, que es a las proposiciones a las que se aplican los predicados "verdadero" y "falso", pues para que dichas palabras tengan aplicación no es necesario ni tan siquiera haber llevado a cabo previamente enunciación alguna. De este modo, no es la oración o formulación verbal lo que resulta verdadero o falso, sino lo expresado por ella.

De acuerdo con una segunda acepción, referida a una idea distinta, se identifica una proposición con el contenido común de oraciones en diferentes modos verbales. Así, por caso, las oraciones

(9) Carlos apaga el cigarrillo
(10) ¿Carlos apaga el cigarrillo?
(11) Carlos,¡apaga el cigarrillo!

tienen como contenido común la proposición "el apagar Carlos el cigarrillo". Lo que varía en estos casos es el *uso* que se hace de la proposición en cuestión: la misma proposición es objeto de aseveración, interrogación y prescripción, respectivamente. Los signos "⊢", "¿" y "¡" son utilizados en ciertas reconstrucciones para indicar el tipo de acto lingüístico llevado a cabo por un hablante no especificado (aserción, interrogación o prescripción). Tales signos son meros *indicadores* de lo que el hablante hace con una proposición dada cuando emite ciertas palabras (⊢p, ¿p, ¡p), pero ellos no contribuyen al significado (esto es, al contenido conceptual) de las palabras usadas; los indicadores carecen de relevancia semántica ya que ellos no forman parte de lo que las palabras significan, sino de lo que el hablante hace con ellas. Desde este punto de vista, las proposiciones son, cuando menos, malas candidatas a portadoras de verdad. Sin embargo, esta última interpretación posee relevancia para el desarrollo de modelos alternativos de fundamentación de la lógica normativa.

2.3.2. En marcada analogía con el primer concepto de *proposición* fue desarrollada una concepción de las normas como *significados* de cierto tipo de oraciones. Mientras las proposiciones son el contenido significativo de oraciones usadas para describir estados de cosas, las normas son el contenido significativo de oraciones usadas para dirigir conductas. Desde este punto de vista, es necesario distinguir las *normas* de las *oraciones normativas*: las oraciones normativas son entidades lingüísticas que expresan normas y las normas son el sentido expresado por tales oraciones. De este modo, la misma norma puede ser expresada por dos o más oraciones diferentes y, a la inversa, una misma oración puede expresar dos o más normas distintas si tiene más de un sentido. Así, lo decisivo para la identidad de las normas es, pues, la identidad de sentido. Esta concepción ha sido defendida, por ejemplo, en Guastini (1986), Wróblewski (1989), Alchourrón-Bulygin (1983), Niiniluoto (1981), Aarnio (1995), Nino (1980), Kelsen (1991) y Mendonca (1992).

En von Wright (1963), donde se distingue muy claramente entre *norma* y *formulación de norma*, lo que descarta la posibilidad de que las normas sean oraciones o expresiones lingüísticas, se ha señalado con énfasis que las normas no son los significados de tales formulaciones: "las normas que son prescripciones no tienen por qué llamarse ni la referencia ni incluso el sentido (significado) de la correspondiente formulación de la norma. La semántica del discurso prescriptivo es característicamente diferente de la semántica del discurso descriptivo" (von Wright 1963, 110). Tal tesis genera, indudablemente, una incógnita importante, ya que resulta difícil imaginar cuál sea la relación de la norma y su formulación si la primera no es el significado de la segunda pero esta última es la expresión lingüística de aquélla. Von Wright, por cierto, no ha resuelto la cuestión. Es significativo, sin lugar a dudas, que autores de la talla de von Wright no alcancen a resolver el interrogante, lo que, por otro lado, constituye una prueba clara de la complejidad del problema.

De acuerdo con una concepción alternativa, presentada, por ejemplo, en Bobbio (1987), Alchourrón-Bulygin (1971), Alchourrón (1986) y Bulygin (1986), las normas no son significados de oraciones sino *oraciones* con significado: las normas no son los significados asociados a ciertas expresiones lingüísticas sino las expresiones lingüísticas más un significado definido y constante. Esto parece suponer que las normas son *oraciones-tipo*, es decir, un complejo de sonidos o trazos dotados de significado. Por tanto, no se trataría aquí de sostener que las normas sean sonidos o trazos con abstracción de su significado, pero tampoco se trataría de sostener que sean sonidos o trazos con abstracción de su expresión lingüística. La cuestión de cuál sea el criterio de identidad adecuado para las oraciones-tipo es cosa controvertida: algunos exigen similitud tipográfica (o auditiva), otros igualdad de significado y algunos otros igualdad tipográfica (o auditiva) y de significado, a la vez. En Bulygin (1986), por ejemplo, se ha señalado que dos oraciones estructuralmente idénticas pero con significados diferentes son dos normas distintas, y dos oraciones diferentes dotadas del mismo signficado también son dos normas distintas, aunque equivalentes.

Por otro lado, en Hernández Marín (1989) se ha propuesto concebir a las normas no como significados de oraciones, ni como oraciones-tipo sino como *oraciones-caso*. Desde este punto de vista, la normas son entidades lingüísticas inscriptas en papel o en otro material como las inscripciones en una pizarra o en un libro. En consecuencia, las normas son objetos físicos existentes en el espacio y en el tiempo y, como tales, pueden ser destruidos y perder existencia. Si alguna de dichas entidades es destruida, es posible crear una nueva entidad, parecida a la anterior, a partir de alguna copia de la entidad original, aunque deberá tenerse presente que la antigua y la nueva entidad serán entidades distintas, a pesar de la similitud eventual. En cuanto objetos físicos, las normas son, desde este ángulo, entidades cognoscibles y observables directamente a través de los sentidos, al igual que cualquier otra inscripción.

2.3.3. En ciertos estudios, se ha distinguido tres conceptos de *norma* muy diferentes desde el punto de vista ontológico, aunque íntimamente relacionados entre sí. El primero hace referencia a un *juicio* que indica que una acción debe, no debe o puede hacerse. El segundo hace referencia a una *prescripción*, al acto lingüístico consistente en formular una norma en el sentido anterior. El tercero hace referencia a un *texto* escrito, que es el resultado de un acto lingüístico como el aludido por el sentido anterior (Nino 1992a, 47-8).

Sostuve en otra ocasión que es posible articular estas nociones en una misma concepción, identificando y diferenciando tres aspectos distintos y conexos del fenómeno normativo: el *acto normativo*, la *formulación normativa* y la *norma*. De acuerdo con este punto de vista, el acto normativo es un acto lingüístico, ejecutado por un sujeto determinado en un lugar y tiempo dados, destinado a emitir una prescripción y, como tal, orientado a dirigir la conducta de otros sujetos. Por su parte, la formulación resultante del acto normativo, la formulación normativa, es una cadena de expresiones del lenguaje natural, gramaticalmente correcta y completa. Finalmente, la norma es el significado de la formulación normativa expresada con motivo de la ejecución del acto normativo (Mendonca 1992, 65-9). Este esquema explicativo permite especificar y diferenciar adecuadamente, según creo, el estatus lingüístico (u ontológico) que a cada uno de los componentes del fenómeno normativo corresponde: pragmático en el caso del acto, sintáctico en el caso de la formulación y semántico en el caso de la norma.

Es interesante señalar que Kelsen anticipó, a su manera, este punto de vista. Decía Kelsen al respecto: "Debe observarse que el acto de voluntad, cuyo sentido es una norma, necesita ser diferenciado del acto de habla en el cual se expresa el sentido del acto de voluntad. De las palabras pronunciadas resulta una frase: un imperativo o un enunciado de deber ser. La norma, que es el sentido de un acto de voluntad, es el significado del enunciado que es el producto de un acto de habla en el cual se expresa el sentido de un acto de voluntad" (Kelsen 1991, 163).

2.3.4. Importa tener presente, por último, que los desarrollos de la lógica deóntica han forzado a aceptar la existencia de ciertas normas no formuladas por el legislador. Esto es así incluso para muchas de las teorías que hacen depender la existencia de las normas, directa o indirectamente, del uso del lenguaje. Por expresa declaración de von Wright, por ejemplo, la tesis de que la existencia de las normas presupone necesariamente la ejecución de ciertos actos lingüísticos, no está reñida con la idea de que existen ciertas normas que no han sido expresamente formuladas, pero que se deducen como consecuencias lógicas de otras que sí han sido promulgadas por alguna autoridad normativa: "las normas derivadas están necesariamente en el *corpus* con las normas originales. Están allí, aunque no han sido expresamente promulgadas. Su promulgación está oculta en la promulgación de otras prescripciones" (von Wright 1963, 168 y 110).

Si se concibe a los sistemas jurídicos como sistemas deductivos, como conjuntos de enunciados que contienen todas sus consecuencias lógicas, resulta forzoso aceptar que un sistema jurídico se halla integrado por dos clases de normas: normas expresamente *formuladas* y normas *derivadas* lógicamente de ellas. Estas últimas existen y pertenecen al sistema, aun cuando no hayan sido creadas expresamente por ninguna autoridad. De este modo, ciertas normas derivadas se siguen de modo inmediato de las normas formuladas, mientras que otras se siguen inmediatamente de otras que, a su vez, se siguen inmediatamente de las normas formuladas, y así sucesivamente. De manera que toda norma derivada del sistema se sigue, ya inmediata o mediatamente, del conjunto de normas formuladas, y toda norma derivada aparece al final de una cadena de pasos deductivos que comienza con el conjunto de normas formuladas. La cadena que lleva a una norma formulada puede ser corta o larga, pero tiene siempre una longitud finita, de suerte que dicha norma se alcanza invariablemente tras un número limitado de pasos deductivos.

Debe quedar claro que aceptar la existencia de normas derivadas no supone un compromiso con la tesis de que hay normas que existen necesariamente *simpliciter*: lo que se sostiene es, en estricto rigor, que hay normas que existen necesariamente *si* otras determinadas normas existen. Tampoco esto implica, por cierto, compromiso alguno con la cuestión de si existen necesariamente ciertas normas *si* otras determinadas normas no existen.

3

Obligaciones y prescripciones

3.1. Concepciones de las obligaciones jurídicas

El concepto de *obligación jurídica* ha generado serias discrepancias entre los teóricos del derecho. Algunos han tratado de elucidarlo en términos de estados psicológicos, probabilidad de aplicación de castigos, previsión normativa de sanciones, reglas sociales o razones morales. Como consecuencia de ello, las proposiciones acerca de obligaciones jurídicas han recibido múltiples interpretaciones con diversas condiciones de verdad, no todas ellas compatibles. Resumiré esas distintas concepciones.

1) *Concepción psicológica.* Olivecrona se encuentra entre los autores que han tratado los enunciados de obligación como proposiciones sobre estados psicológicos del agente o la comunidad. Así, en una posición extrema, ha sostenido que "un examen atento e inmediato revela que los derechos y su contrapartida, las obligaciones, solamente existen como concepciones de la mente humana" (Olivecrona 1959, 56). También Ross parece adherir a este punto de vista al sostener que "la idea de deber actúa como un motivo para el comportamiento lícito, no por temor a las sanciones, sino por virtud de una actitud desinteresada de respeto al derecho (...). Tal dependencia ideológica hace que el concepto de deber no sea muy adecuado como instrumento para la ciencia del derecho" (Ross 1958, 154) y,

por tanto, conviene "restringir el empleo del término a aquellos casos en que la reacción es vivida (experienced) como una desaprobación social, y la sentencia, por ende, como un estímulo para el cumplimiento del deber" (Ross 1958, 156).

(2) *Concepción predictiva.* Otros teóricos han definido esta noción no en términos de hechos subjetivos tales como creencias, temores y motivos, sino en términos de probabilidad de que la persona que tiene la obligación sufra un castigo a manos de otros en caso de incumplimiento. Holmes, por ejemplo, ha sostenido que "los derechos y deberes de que se ocupa la ciencia jurídica (...) no son más que profecías", puesto que "lo que llamamos un deber jurídico no es más que la predicción de que si un hombre hace o deja de hacer ciertas cosas, sufrirá tales o cuales consecuencias, debido a la sentencia de un tribunal" (Holmes 1897, 168).

(3) *Concepción punitiva.* Según Kelsen, "enunciar que un individuo está jurídicamente obligado a determinada conducta, es lo mismo que afirmar que una norma jurídica ordena determinada conducta de un individuo; y una norma jurídica ordena determinada conducta en tanto enlaza al comportamiento opuesto un acto coactivo como sanción" (Kelsen 1960, 129). De este modo, el concepto de obligación jurídica queda determinado en relación con el de sanción: "decir que un individuo está obligado a determinada conducta, significa que, en el caso de un comportamiento contrario, debe producirse una sanción; su obligación es la norma que requiere esa conducta, en tanto enlaza a la conducta contraria, una sanción" (Kelsen 1960, 140).

(4) *Concepción realista.* Hart ha sostenido que "el enunciado de que alguien tiene o está sometido a una obligación, implica sin duda alguna la existencia de una regla" (Hart 1961, 107). Según Hart, "una regla impone obligaciones cuando la exigencia general en favor de la conformidad es insistente, y la presión social ejercida sobre quienes se desvían o amenazan con hacerlo es grande" (Hart 1961, 107); "las reglas sustentadas por esta presión social seria son reputadas importantes porque se las cree necesarias para la preservación de la vida social o de algún aspecto de ella al que se atribuye gran valor" (Hart 1961, 108).

(5) *Concepción prescriptivista.* Alchourrón-Bulygin han explicado que "las proposiciones normativas proporcionan información sobre el estatus deóntico de ciertas acciones o estados de cosas: enuncian que una acción es obligatoria, prohibida o permitida, y son verdaderas si, y sólo si, la acción en cuestión tiene la propiedad de ser obligatoria, prohibida o permitida" (Alchourrón-Bulygin 1991, 88). De acuerdo con su opinión, "las proposiciones normativas pueden ser analizadas en términos de proposiciones acerca de la existencia de las normas" (Alchourrón-Bulygin 1991, 88) y por ello "si se acepta que la existencia de una norma consiste en su promulgación por una autoridad, entonces decir que una acción p es obligatoria es decir que una cierta autoridad ha promulgado la norma que ordena (hacer) p" (Alchourrón- Bulygin 1991, 88).

(6) *Concepción naturalista.* Dworkin ha criticado severamente la concepción según la cual "decir que alguien tiene una 'obligación jurídica' equivale a afirmar que su caso se incluye dentro de una norma jurídica válida que le exige hacer algo o que le prohibe que lo haga" (Dworkin 1977, 66). En su opinión, es dable sostener "la posibilidad de que una obligación jurídica pueda ser impuesta tanto por una constelación de principios como por una norma jurídica establecida" (Dworkin 1977, 100). Dworkin llama "principio" en este contexto "a un estándar que ha de ser observado (...) porque es una exigencia de la justicia, la equidad o alguna otra dimensión de la moralidad" (Dworkin 1977, 72). Por tanto, de acuerdo con esta posición, "existe una obligación jurídica siempre que las razones que fundamentan tal obligación, en función de diferentes clases de principios jurídicos obligatorios, son más fuertes que las razones o argumentos contrarios" (Dworkin 1977, 100).

Las concepciones (3) (4) (5) y, en alguna medida la (6), comparten un elemento importante: la remisión a normas en sus respectivos esquemas explicativos. Me referiré a este dato en lo sucesivo como la *conexión normativa*. Esta remisión a normas para dar cuenta del concepto de obligación jurídica, sin embargo, no juega el mismo papel en todos los casos. La conexión normativa que la concepción (3) acoge no es la conexión normativa que sostiene la concepción (4): mientras Kelsen remite a normas que imponen sanciones, Hart considera normas aceptadas por un grupo social. La concepción (5), por su lado, gira en torno a normas promulgadas que prescriben conductas, independientemente de que vayan acompañadas de sanción y de que sean objeto de aceptación social. Para la concepción (6), finalmente, la conexión normativa no resulta estrictamente necesaria, puesto que las obligaciones jurídicas pueden surgir tanto de normas válidas como de principios morales.

Me propongo defender en este capítulo una concepción destinada a fundamentar de manera diferente la existencia de las obligaciones jurídicas. Se trata de un enfoque según el cual la existencia de una obligación jurídica depende de la pertenencia a un sistema jurídico determinado de la norma que la impone como tal. La defensa de esta concepción, que podría denominarse "sistemática", la haré contrastando dos concepciones que, según creo, se aproximan a la posición correcta: me refiero a las concepciones (4) y (5). Como la primera no alcanza a dar en el blanco, el contraste con la segunda resulta sumamente ilustrativo, pues permite inferir el curso teórico adecuado. La estrategia a seguir incluye, pues, dos pasos: primero, identificar normas que imponen obligaciones (prescripciones) y, segundo, determinar los criterios de pertenencia de tales normas a sistemas jurídicos.

3.2. Un modelo de reglas sociales

3.2.1. El análisis que Hart ofrece en *El concepto de derecho* de la noción de *obligación* parte de una severa crítica a las concepciones (1) y (2). A la primera objeta Hart el conducir a una idea equívoca de la obligación como algo que consiste, esencialmente, en algún sentimiento de presión o compulsión experimentado por el sujeto obligado; esta concepción confunde dos nociones radicalmente distintas: hay una diferencia importante –advierte Hart– "entre la aserción de que alguien *se vio obligado* a hacer algo, y la aserción de que *tenía la obligación* de hacerlo", puesto que la primera alude a las creencias y motivos que acompañan a la acción y la segunda a la existencia de reglas que dan origen a la imposición. Por otro lado, a la segunda concepción critica Hart, fundamentalmente, el oscurecer el hecho de que, cuando existen reglas, las desviaciones respecto de ellas no son simples *fundamentos para la predicción* de que sobrevendrán reacciones hostiles o de que un tribunal aplicará sanciones a quienes las transgredan, sino que tales desviaciones son también una *justificación para dichas reacciones o sanciones*. Además, la situación de que un sujeto tenga una obligación en una ocasión particular es absolutamente independiente de cualquier estimación acerca de las posibilidades de que le ocurra el mal con que se le amenaza: nada hay de contradictorio ni de extraño en afirmar "el sujeto S está obligado a hacer p, pero no existe la menor probabilidad de que lo sancionen (por razones fácticas o normativas) si no ejecuta p" (Hart 1961, 102-5).

Hart reprocha abiertamente a ambas perspectivas el no haberse hecho cargo de los elementos normativos incorporados al uso convencional de la expresión "obligación jurídica". Por esta razón, Hart ofrece un modelo basado en cierta *conexión normativa* establecida entre una acción determinada y la sanción prevista para el caso de incumplimiento de aquélla, dado que dicha relación depende lógicamente de la existencia de reglas que tornan punibles ciertas formas de conducta (Hart 1966, 115).

3.2.2. La concepción de Hart sobre las obligaciones jurídicas gira en torno a la existencia de *reglas sociales*: "el enunciado de que alguien tiene o está sometido a una obligación, implica sin duda alguna la existencia de una regla" (Hart 1961, 107). Estas reglas, explica Hart, presentan tres características distintivas. La primera se relaciona con la *presión social* que las respalda: "la importancia o seriedad de la presión social que se encuentra tras las reglas –dice Hart– es el factor primordial que determina que ellas sean concebidas como dando origen a obligaciones" (Hart 1961, 108). Esta presión social constituye el fundamento de tales obligaciones: "una regla impone obligaciones cuando la exigencia general en favor de la conformidad es insistente, y la presión social ejercida sobre quienes se desvían o amenazan con hacerlo es grande" (Hart 1961, 107). La segunda característica está vinculada con la *importancia de los valores promovidos* por tales reglas: "las reglas sustentadas por esta presión social seria son reputadas importantes porque se las cree necesarias para la preservación de la vida social o de algún aspecto de ella al que se atribuye gran valor"

(Hart 1961, 108). La tercera peculiaridad de estas reglas, según Hart, está conectada con la *posibilidad de conflicto entre lo debido y lo deseado* por el sujeto obligado: "la conducta exigida por estas reglas, aunque sea beneficiosa para otros, puede hallarse en conflicto con lo que la persona que tiene el deber desea hacer" (Hart 1961, 109).

Esta concepción ha sido objeto de discusión permanente y cuidadosa entre los teóricos del derecho (MacCormick 1981, 55-70; De Páramo 1984, 301-323), y aunque dicho enfoque parece ser el que mayor atención ha recibido por parte de sus seguidores y críticos, conviene señalar que no siempre ha sido defendido de la misma forma y con los mismos alcances por su autor (Hart 1958, 1966, 1982).

En mi opinión, la teoría de Hart no consigue dar cuenta, en rigor, de las obligaciones legales, es decir, de las obligaciones impuestas por autoridades revestidas de competencia para regular las conductas de los miembros de una comunidad. Hart analiza equivocadamente la noción de obligación como si la existencia de los deberes jurídicos dependiera de la aceptación por la mayoría de los miembros de un grupo social, manteniéndose por exigencias generales de conformidad y presión sobre quienes se apartan de las guías de conducta o amenazan con hacerlo. A mi entender, Hart equipara las obligaciones emergentes de normas consuetudinarias a las obligaciones emergentes de disposiciones legales y pasa por alto la circunstancia de que, donde existen autoridades legislativas, las obligaciones jurídicas son generadas, modificadas o extinguidas por su actividad. Por estas mismas razones, el propio Hart lanzó más recientemente un demoledor ataque contra su teoría (De Páramo 1988, 343-4). Debe considerarse –señala Hart– que las disposiciones legales que imponen obligaciones "pueden no ser aceptadas por los miembros de una sociedad y pueden no ser apoyadas por la presión social general sobre quienes se desvían o amenazan con desviarse. No obstante, son reconocidas por los tribunales como reglas válidas del sistema jurídico, teniéndolas que aplicar en los casos que se presenten ante ellos, ya que satisfacen los criterios de validez provistos por la regla secundaria de reconocimiento aceptada por los tribunales y funcionarios del sistema" (De Páramo 1988, 343-4). Esta aguda autocrítica puede sintetizarse en pocas palabras: no es posible elucidar la noción de *obligación jurídica* en función de *reglas sociales* y se hace inevitable considerar en esta tarea las normas promulgadas válidamente por autoridades legislativas. Dicho en otros términos: la identificación de obligaciones jurídicas no puede llevarse a cabo sino recurriendo a *normas jurídicas*.

De este modo, creo que el motivo del fracaso de la teoría de Hart acerca de las obligaciones jurídicas debe buscarse en la inclusión de reglas sociales y elementos fácticos en su construcción. No puede dejar de admitirse, sin embargo, una dosis de adecuación en la concepción hartiana, la cual radica en el intento de ofrecer una caracterización del concepto de obligación en términos normativos. El proyecto se frustra, sin embargo, al no llevarlo a cabo en función de normas jurídicas reconocidas como válidas de acuerdo con criterios proporcionados por una regla de identificación. Ninguna de las dificultades planteadas se presenta si admitimos como principio que no existen obligaciones jurídicas que no sean establecidas por normas jurídicas y que para saber cuáles son normas jurídicas debemos contar con criterios de identificación de tales normas.

Resulta significativo el hecho de que Hart adoptara esta posición alternativa en su ensayo "Obligación jurídica y obligación moral": "la afirmación de que las reglas [que imponen obligaciones] existen –había dicho Hart– significa que ellas pertenecen a una clase de reglas, caracterizadas como reglas válidas de ese sistema particular por criterios especificados en las reglas fundamentales del propio sistema" (Hart 1958, 12). En lo sucesivo pienso retomar esta idea abandonada por Hart y desarrollarla a partir de un instrumental analítico distinto.

3.3. Normas, sistemas y obligaciones jurídicas

3.3.1. Un sujeto puede manifestar su voluntad de que otro haga o se abstenga de hacer algo en situaciones muy diversas de la vida social. Pero como las circunstancias en que intentamos *dirigir* la conducta de los demás son muy variadas y complejas, utilizamos formas más o menos directas para lograrlo. Si bien es cierto que los términos "dirigir" y "directiva" significan, en ciertos contextos, lo mismo que "prescribir" y "prescripción", no se sigue de allí que todos los usos directivos se reduzcan al uso prescriptivo; cabe considerar también a las *peticiones*, las *advertencias* y las *súplicas* como formas de influir en la conducta de otros y, por consiguiente, como pertenecientes a la categoría general de las *directivas*. Un muestrario elemental de estos usos es el siguiente:

(1) ¡Apaga el cigarrillo!
(2) ¿Te importa apagar el cigarrillo?
(3) Apaga el cigarrillo, ¿quieres?
(4) Apaga el cigarrillo, si eres tan amable
(5) Apaga el cigarrillo, por favor
(6) Apaga el cigarrillo o tendrás que irte

El *pedido*, por lo general, va dirigido a una persona que se halla en condiciones de prestar algún servicio a quien lo emite, y no sugiere qué puede ocurrir en caso de que el destinatario no acceda a él. La *súplica*, en cambio, es utilizada cuando la persona que la profiere está a merced de otra, en algún sentido, o ésta puede liberarla o sacarla de una situación riesgosa determinada. La *advertencia*, por su lado, es usada para dar a conocer al destinatario la existencia de algún peligro más o menos inminente que puede ser evitado comportándose tal como se indica en ella. Es importante tener presente que los contextos en que caben estos usos no sólo son variados, sino que no se distinguen entre sí con precisión y que, por lo tanto, no siempre es claro qué modo directivo presenciamos. Como decía Austin, "podemos estar de acuerdo sobre cuáles fueron las palabras que efectivamente se pronunciaron, o incluso cuáles fueron los sentidos en los que se las usó y las realidades a las que hicieron referencia, y sin embargo podemos todavía discrepar acerca de si, en las circunstancias dadas, esas palabras constituyeron una orden, o una amenaza o una advertencia" (Austin 1962, 160).

Conviene destacar que ninguno de estos usos puede ser concebido correctamente más que en segunda persona. Resultaría sumamente raro formular prescripciones, peticiones, advertencias o súplicas en primera o tercera persona, ya que todos esos usos exigen un hablante diciéndole a un oyente que ejecute un acto determinado. Por ello es que resulta extraña la idea de dirigirse mandatos, peticiones o ruegos a uno mismo, pues estos son actos que requieren dos personas diferentes en una relación determinada. Incluso el imperativo en primera persona del plural ofrece idéntica resistencia. Quien dice, por ejemplo:

(7) ¡Apaguemos los cigarrillos!

en realidad no dirige, a la vez, una prescripción a sí mismo y a un grupo de personas, sino que se dirige a otras personas indicándoles qué hacer, al tiempo en que expresa su propósito de obrar en unión con ellas. Es decir (7) resulta equivalente a

(8) ¡Apaguen los cigarrillos!, yo también lo haré

No obstante, en ciertas ocasiones el imperativo en primera persona del plural puede también expresar una decisión colectiva, aunque lo más frecuente es que pueda descomponerse tal como en (8).

También hay mucho de irregular en los imperativos en tercera persona, puesto que las formulaciones así concebidas expresan, en rigor, o bien una expresión de deseos sin consecuencias inmediatas o bien una prescripción intermediada. En esta última hipótesis lo que ocurre es que la prescripción es recibida por un oyente y transmitida al agente, que se halla ausente; parte de la relación, pues, tiene lugar entre el agente y el receptor, actuando el último como intermediario entre el que dictó la prescripción y el agente al cual iba dirigida; de este modo, la nueva relación entre el intermediario y el agente deberá ser expresada mediante una prescripción en segunda persona, si bien aquél no hablará en nombre propio, sino en nombre del sujeto original cuyo mandato transmite.

Advirtamos, además, que sería un grave error creer que las expresiones formuladas en modo imperativo son las únicas idóneas para expresar prescripciones, puesto que también oraciones en el modo indicativo pueden servir para formular directivas de ese tipo. En tal caso, cuando las prescripciones se expresan en el modo indicativo, es frecuente recurrir al uso del tiempo futuro. Es así que la oración

(9) Apagarás el cigarrillo

no expresa una predicción sobre la conducta futura del oyente, sino un mandato equivalente a (1). También cabe, por cierto, la utilización del tiempo presente del indicativo para formular prescripciones, de modo tal que la oración

(10) Apagas el cigarrillo

expresa una directiva y no una aserción. Este uso es muy frecuente en cuerpos legales. Así, cuando se expresa, por caso, que "Las autoridades que ejercen el Gobierno residen en la ciudad que se declare Capital de la República", no se formula una descripción sobre el lugar de residencia de las autoridades del gobierno, sino que se prescribe a ellas el deber de residir en un lugar determinado.

También cabe poner de manifiesto que las prescripciones pueden ser formuladas mediante *oraciones deónticas*, esto es, oraciones en las que figuran términos como "debe", "puede", "obligatorio", "prohibido" y "permitido". Consiguientemente, la formulación (1) puede ser adecuadamente sustituida por

(11) Debes apagar el cigarrillo

Expresiones como (11) presentan, sin embargo, una ambigüedad sistemática peligrosa, ya que pueden ser usadas para formular una prescripción y también para enunciar que existe una determinada prescripción de acuerdo con una norma o un conjunto de normas dados. En el primer caso, oraciones deónticas como (11) expresan una *norma* (prescriptiva) y en el segundo una *proposición* (descriptiva) acerca de una norma.

3.3.2. En este contexto, las normas han de ser claramente distinguidas de las proposiciones normativas, es decir, de las proposiciones que afirman que una acción p es obligatoria (prohibida o permitida) conforme a una cierta norma o un conjunto de normas. Las proposiciones normativas, que pueden ser consideradas en este contexto como proposiciones acerca de conjuntos o sistemas de normas, también contienen términos deónticos como "obligatorio" o "prohibido", pero tales términos tienen un sentido puramente descriptivo. En lo sucesivo usaremos el símbolo "**O**" para representar proposiciones normativas y el símbolo "O" para expresar normas (Alchourrón 1969, 1972; Alchourrón-Bulygin 1971, 1984, 1988, 1989). Como las proposiciones normativas de este tipo son siempre relativas a un sistema normativo determinado, esto condiciona la aparición de indicadores en las fórmulas como **Op** con la siguiente forma: **Ops**. Por *sistema normativo* entendemos el conjunto de las consecuencias lógicas de un conjunto de normas y, por lo tanto, si C es un conjunto de normas, las consecuencias de C es el sistema S, determinado por C (Alchourrón-Bulygin 1971). Consiguientemente, una proposición normativa según la cual una acción p es obligatoria (o prohibida) conforme a un conjunto de normas C será verdadera si, y sólo si, hay en C o entre las consecuencias de C una norma que prescribe que p debe (o no debe) ser, es decir, una norma que ordena (o prohibe) hacer p (Alchourrón-Bulygin 1981). Por tanto, una acción p es obligatoria en relación al conjunto de normas C cuando la norma que exige p pertenece al sistema determinado por C. De este modo, tenemos la siguiente definición de *obligación* (indicaré pertenencia con el signo "ε"):

Ops =df Op ε S

De igual manera, una acción p está prohibida en relación al conjunto de normas C cuando la norma que exige no-p (la omisión de p) pertenece al sistema determinado por C. Si introducimos la fórmula **Vps** para este concepto, tenemos la siguiente definición de *prohibición*:

Vps =df O-p ε S

3.3.3. Puede ocurrir que la norma "Obligatorio p" (Op) nunca haya sido expresamente promulgada por autoridad alguna del sistema S y que, sin embargo, la acción p sea obligatoria en S. Supongamos, por ejemplo, que ninguna autoridad haya promulgado (expresamente) la norma Op, pero que sí haya promulgado la norma "Obligatorio p y obligatorio q" (Op&Oq). Esta es, obviamente, una norma diferente de Op, pero de acuerdo con nuestro criterio Op pertenecería al sistema S, puesto que Op es una consecuencia lógica de Op&Oq (pues Op&Oq implica lógicamente a Op): la obligatoriedad de p es una consecuencia de la obligatoriedad de p y la obligatoriedad de q, porque Op es una consecuencia lógica de Op&Oq. Los lógicos han denominado a obligaciones de este tipo *obligaciones derivadas* (Alchourrón-Bulygin 1981, 101-2; Kalinowski 1993, 80-2). De este modo, ciertas normas derivadas se siguen de manera inmediata de las normas formuladas, mientras que otras se siguen inmediatamente de otras que, a su vez, se siguen inmediatamente de las normas formuladas, y así sucesivamente. De manera que toda norma derivada del sistema se sigue, inmediata o mediatamente, del conjunto de normas formuladas, y toda norma derivada aparece al final de una cadena de pasos deductivos que comienza con el conjunto de normas formuladas. La cadena que une una norma formulada y una norma derivada puede ser corta o larga, pero tiene siempre una longitud finita, de suerte que dicha norma se alcanza invariablemente tras un número limitado de pasos deductivos.

La distinción corriente entre *axiomas* y *teoremas* de un sistema axiomático se ve reflejada en un sistema normativo en la distinción entre *normas formuladas* y *normas derivadas*. El principio es que si una norma o un conjunto de normas pertenece a un sistema, entonces toda norma que sea su consecuencia lógica también pertenecerá al sistema. Esto supone que en un sistema jurídico ciertas normas pertenecerán a él habiendo sido expresamente promulgadas y otras como consecuencia lógica de aquéllas. Las primeras son denominadas *normas formuladas* y las segundas *normas derivadas* (Alchourrón-Bulygin 1976, 3-23).

3.3.4. Dado que el sistema queda definido a partir de un conjunto de normas, éstas permanecen fijas en el modelo: cualquier cambio de la base axiomática del sistema (el conjunto de normas expresamente promulgadas) nos llevaría a otro sistema, distinto del anterior. En este sentido, el concepto de *sistema* elaborado en Alchourrón-Bulygin (1971) corresponde a un *sistema estático*. Pero cuando los juristas hablan de sistemas jurídicos presuponen el fenómeno del cambio mediante la promulgación y la derogación de normas. La posibilidad de tales cambios en el tiempo determina el carácter dinámico del derecho y fuerza a elaborar un concepto de *sistema dinámico*. Un sistema dinámico no puede ser un conjunto de normas, sino una familia (un conjunto) de conjuntos de normas o, más precisamente, una secuencia temporal de conjuntos de normas. Esto ha llevado a introducir en Alchourrón-Bulygin (1976) una distinción terminológica entre *sistema jurídico* como conjunto de normas y *orden jurídico* como secuencia de sistemas jurídicos.

La noción central de este esquema es, pues, la de *pertenencia*. En este sentido, se han distinguido dos criterios básicos de pertenencia de normas a sistemas: *criterio de legalidad* y *criterio de deducibilidad*. De acuerdo con el primero, una norma pertenece al sistema si ha sido dictada por autoridad competente y, de acuerdo con el segundo, una norma pertenece al sistema cuando es consecuencia lógica de normas pertenecientes al sistema (Caracciolo 1988, 57). Estos criterios, sin embargo, son manifiestamente insuficientes para dar cuenta de la pertenencia de todas las normas del sistema, pues presupone que el sistema ya tiene normas, cuya pertenencia no se puede establecer en base a ninguno de los dos criterios. Siguiendo a von Wright denominaremos *normas soberanas* a tales normas (von Wright 1963, 204). Esto supone, claro está, que todo orden jurídico debe originarse en un conjunto de normas soberanas. Ese conjunto de normas soberanas constituye la base de un orden jurídico y será denominado *sistema originario* de ese orden.

Con este soporte teórico es posible ofrecer la siguiente *regla de identificación* (Bulygin 1991, 263-4):

(1) El conjunto de normas soberanas {Ns1, Ns2,...Nsn}, el sistema originario del orden jurídico Oj, es un conjunto de normas válidas.

(2) Si una norma de competencia Nc, válida en el sistema S1(t) de Oj, autoriza a la autoridad A a promulgar la norma N y A promulga N en el tiempo t, entonces N es válida en el sistema S2(t+1) de Oj (correspondiente al momento siguiente a t).

(3) Si una norma de competencia Nc, válida en el sistema S1(t) de Oj, autoriza a la autoridad A a derogar la norma N, que es válida en S1(t), y A deroga N en el tiempo t, entonces N no es válida en el sistema S2(t+1) de Oj (correspondiente al momento siguiente a t).

(4) Las normas válidas en el sistema S1(t) de Oj que no han sido derogadas en el tiempo t son válidas en el sistema S2(t+1) de Oj (correspondiente al momento siguiente a t).

(5) Todas las consecuencias lógicas de las normas válidas del sistema S1(t) de Oj también son válidas en S1(t).

De acuerdo con este esquema definicional, cuatro son los criterios de pertenencia de una norma a un sistema: *criterio de extensionalidad* para las normas soberanas (cláusula 1), *criterio de legalidad* para las normas formuladas (cláusulas 2 y 3), *criterio de deducibilidad* para las normas derivadas (cláusula 5) y *criterio de estabilidad* para las normas formuladas y las normas derivadas (cláusula 4) (Moreso y Navarro 1992).

3.3.5. Conviene destacar el carácter estrictamente conceptual de la *regla de identificación* constituida por las cláusulas (1) a (5) (Bulygin 1976, 1991a y 1991b, Caracciolo 1991; véase Ruiz Manero 1990, 1991). Al igual que la *regla de reconocimiento* de Hart "especifica alguna característica o características, cuya posesión por una norma determinada, es asumida como indicación afirmativa y concluyente de que se trata de una norma del grupo" (Hart 1961, 92). A diferencia de ésta, sin embargo, carece de todo contenido normativo (prescriptivo). Ella no es una norma de conducta, puesto que nada ordena, prohíbe o permite. Tanto Hart como sus seguidores, en cambio, asignan a la regla de reconocimiento una función regulativa, dado que prescribe a los jueces el deber de aplicar las normas jurídicas identificadas por esa regla (MacCormick 1978 y 1981; Raz 1970; Hacker 1977). Por cierto, Bulygin ha argumentado suficientemente en contra de esa reconstrucción (Bulygin 1976, 1991a y 1991b). Esta discrepancia justifica, según creo, el cambio terminológico que sugiero.

Antes he explicado que existen diferencias importantes entre normas prescriptivas y normas definitorias (ver 2.1.2.). Las primeras establecen deberes y prohibiciones, por lo que cabe hablar de la obediencia o desobediencia de ellas, mientras que de las segundas no tiene sentido hacerlo, puesto que se limitan a definir un concepto. Aunque la falta de uso o el mal uso que de ellas se haga pueda generar reacciones críticas, éstas son de naturaleza completamente distinta de las que provoca el incumplimiento de normas de conducta: lo que se critica en esos casos es el desconocimiento de la regla o de su modo de empleo. Como ocurre cuando no se usan correctamente las reglas gramaticales o matemáticas, lo que se reprocha es la ignorancia y no la desobediencia: no decimos en casos como esos que el sujeto desobedece las reglas, sino que no las usa o que las usa incorrectamente.

Claro está que tampoco cabe hablar de obediencia respecto de las reglas conceptuales. Por consiguiente, no cabe decir que la regla de identificación sea obedecida cuando es utilizada adecuadamente. Es significativa la advertencia de Hart en este sentido: "la palabra 'obediencia' tampoco describe bien lo que hacen los jueces cuando aplican la regla de reconocimiento del sistema y reconocen una ley como derecho válido" (Hart 1961, 140). Este es, dicho sea de paso, un argumento en contra de la tesis defendida por Hart y sus seguidores en cuanto al carácter prescriptivo de la regla de reconocimiento, puesto que, si dicha regla tiene un componente normativo, cabe hablar de la obediencia o desobediencia de dicha regla, al menos en algún sentido, cosa que Hart descarta.

4

Sanciones, amenazas y castigos

4.1. Concepciones de las normas penales

4.1.1. Mi propósito en este capítulo será analizar las denominadas "normas penales", normas formuladas por lo común, según cierto uso extendido en la actividad legislativa, mediante oraciones de la forma

(1) El que ejecute la acción A será sancionado con el castigo C

en las cuales se prevé un castigo específico para el caso de ejecución de una acción determinada (Thornton 1996, 349-382). La cuestión central a este respecto radica, en mi opinión, en determinar el carácter y la función de (1), esto es, en reconstruir teóricamente su estatus lingüístico, indicando su fuerza y contenido básicos. Si bien es cierto que esta discusión ha sido ampliamente desarrollada en la teoría penal, con resultados no siempre satisfactorios, ella apenas ha sido planteada en la teoría del derecho comtemporánea (Bacigalupo 1996, 61-74; Mir Puig 1990, 29-46; Atienza-Ruiz Manero 1996, 124-30). La cuestión tiene, desde luego, importantes repercusiones, tanto para la teoría del delito como para nuestra propia comprensión del fenómeno jurídico, desde que el mismo concepto de derecho ha estado asociado recurrentemente al rasgo de la coactividad, establecido precisamente mediante remisión a normas que establecen sanciones.

No ignoro, por supuesto, que bajo la denominación genérica y usual de "derecho penal" se incluyen no sólo disposiciones que establecen sanciones, sino también otras que regulan las condiciones bajo las cuales las diversas sanciones pueden ser aplicadas, así como disposiciones relativas a los procedimientos que deben seguirse antes, durante y después de un juicio, la conducta de jueces y abogados y la prisión del convicto, entre otras. En este ensayo, sin embargo, al hablar de "normas penales", aludiré sólo a las primeras, aquellas que establecen sanciones.

En general, la legislación penal española sigue la forma canónica de las normas penales. Así, por ejemplo, el artículo 138 del Código Penal dispone: "El que matare a otro será castigado, como reo de homicidio, con la pena de prisión de diez a quince años".

4.1.2. Oraciones como (1) han sido vinculadas, según distintas concepciones teóricas, a juicios de valor, normas de prohibición, normas de obligación, y ciertas combinaciones de los contenidos anteriores. En lo que sigue, expondré brevemente estas concepciones para, finalmente, defender una diferente. Me valdré en cada caso, en lo posible, de opiniones de ciertos autores, pero sólo como trampolín de la reconstrucción, sin pretender siquiera presentar sus posiciones como definitivas.

(1) *Las normas penales como juicios de valor*. De acuerdo con esta concepción (1) debe ser interpretado, básicamente, como un juicio de valor negativo, sin función prescriptiva reguladora de conducta. Según ella (1) contendría un mero juicio acerca de la acción A ("La acción A es disvaliosa"), en base al cual A es lo suficientemente grave como para merecer el castigo C, lo cual no implicaría prescripción alguna dirigida a los ciudadanos para que se abstuvieran de ejecutar la acción A. Es en tal contexto que se formulan afirmaciones como que "la antijuridicidad contiene un juicio de disvalor sobre el hecho, y la culpabilidad un juicio de disvalor sobre el autor" (von Liszt). De este modo (1) sería, en definitiva, un mero juicio acerca de determinado sector de la conducta humana que presenta relevancia para la vida social. Tal juicio calificaría, insisto, determinadas acciones, conforme a los fines del derecho. En todo caso, y de acuerdo con algunos autores, la inter-

pretación propuesta en esta concepción para (1) iría acompañada, en un momento posterior, de un elemento prescriptivo de carácter prohibitivo, sin confundirse con él, ni implicarlo lógicamente.

(2) *Las normas penales como normas de prohibición.* La segunda reconstrucción propuesta para (1) parece cercana a la posición defendida por Hart: "El derecho penal –decía Hart– es algo que obedecemos o desobedecemos; lo que sus reglas exigen es calificado como "deber". Si desobedecemos se dice que ha habido una "infracción" al derecho y que lo que hemos hecho es jurídicamente "incorrecto", la "transgresión de un deber", o un "delito". La ley penal cumple la función de establecer y definir ciertos tipos de conducta como algo que debe ser omitido o realizado por aquellos a quienes esa ley se aplica, cualesquiera sean los deseos de éstos. La pena o "sanción" que las normas imputan a las infracciones o violaciones del derecho penal busca crear un motivo para que los hombres se abstengan de esas actividades (aunque la pena pueda servir a otro propósito)" (Hart 1961, 34).

(3) *Las normas penales como normas de obligación.* En una línea diferente, Bulygin ha sostenido que oraciones como (1) pueden ser razonablemente interpretadas como una norma de obligación dirigida a los órganos encargados de la administración de justicia, es decir, a los tribunales, y establecen que los jueces competentes deben sancionar, bajo determinadas condiciones, a los sujetos que ejecutan la acción en cuestión. Los jueces cumplirían esta obligación dictando sentencia condenatoria respecto de los sujetos imputados, previo cumplimiento de las etapas procesales correspondientes y cuando existan pruebas suficientes. Tales sentencias, desde luego, deberían estar fundadas en normas penales generales, de las cuales aquéllas se deducirían como normas individuales. A partir de allí, una vez dictadas las sentencias, surgiría el deber de los órganos administrativos pertinentes (deber establecido en otras normas generales) de dar cumplimiento a las normas individuales contenidas en las sentencias, lo cual supone que las normas individuales dictadas por los jueces están dirigidas a los órganos administrativos encargados de cumplir las decisiones judiciales (Bulygin 1994, 33-4).

(4) *Las normas penales como juicios de valor y normas de prohibición.* Desde esta concepción se objeta la disociación entre el elemento valorativo y el prescriptivo, tal como sugieren las concepciones (1) y (2). Atienza-Ruiz Manero sostienen, en este sentido, que oraciones como (1) contienen, a la vez, tanto un elemento valorativo como un elemento prescriptivo. En su opinión, además, el juicio de valor implica la prohibición: afirmar que la acción A es disvaliosa implica que está prohibido realizarla. Afirman, en definitiva, que ambos elementos no pueden ser escindidos, al punto que ambos no parecen ser algo distinto; aunque cada uno de tales enunciados resulta un aspecto diferente (valorativo o prescriptivo), ellos tienen el mismo contenido, pero el juicio de valor tiene prioridad (prioridad justificatoria) sobre la prohibición (Atienza-Ruiz Manero 1996, 124-35).

(5) *Las normas penales como normas de prohibición y normas de obligación.* Kelsen, por su lado, defendió una concepción de las normas penales asociada a un enunciado complejo en virtud del cual la acción A está prohibida y los jueces tienen el deber de sancionarla. Según Kelsen, "si un orden normativo no sólo contiene normas que decretan cierta conducta, sino también normas que establecen sanción para la falta de cumplimiento, como es el caso del derecho positivo (...) entonces la norma que decreta cierta conducta y la norma que establece una sanción para el incumplimiento o el cumplimiento de la primera norma constituyen una unidad". Kelsen, sin embargo, era consciente de que, en determinados contextos, la norma que prohibe cierta conducta rara vez aparece formulada, enunciándose sólo la norma que prevé la sanción: "es posible –decía Kelsen– que (...) la norma que prescribe una conducta, no aparezca *formulada expresamente*, sino sólo (...) la norma que establece la sanción. De esta manera se formulan frecuentemente las normas jurídicas en las leyes modernas. El legislador moderno no dice: 1. 'no se debe robar', y además, 2. 'si alguien roba, debe ser sancionado con prisión' (...), sino que comúnmente se limita a establecer la norma que vincula la sanción de la pena de prisión con el robo (...). La formulación expresa de la norma que prohibe el robo es efectivamente *superflua*, puesto que está –como ya se señaló– *implícita* en la norma que establece la sanción" (Kelsen 1991, 142; las cursivas corresponden al original).

No discutiré en detalle el valor teórico de las concepciones presentadas. Diré, sin embargo, que cada una de ellas plantea problemas relativamente importantes, salvo la concepción (2) que, en mi opinión, recoge el núcleo básico de una teoría adecuada de las normas penales: las normas penales regulan conductas e imponen deberes cuya transgresión configuran delitos. La concepción (1) asimila indebidamente las normas penales a los juicios de valor que le sirven de fundamento; la concepción (3), al convertir a los jueces en destinatarios de las normas penales, remite el problema de la eficacia del derecho penal a la conformidad de su contenido respecto de la conducta de aquéllos: el derecho penal es eficaz o ineficaz, según esta concepción, en función de la conducta de los jueces y no de la conducta de los ciudadanos; la concepción (4) merece, en buena medida, la misma objeción formulada a la concepción (1); la concepción (5) carece de justificación adecuada para la tesis de la implicación de la norma de prohibición en la norma que establece la sanción. Seguiré la línea trazada por la concepción (2), ofreciéndole un sustento adecuado a la falta obvia de conexión literal entre la formulación canónica y el contenido asignado.

4.2. Amenazas y prescripciones

4.2.1. Habitualmente nuestra conducta verbal refleja en lo que decimos lo que queremos decir: emitimos oraciones queriendo decir, y diciendo, exacta y literalmente lo que decimos; dicho esto de otro modo: el significado y la fuerza que pretendemos dar a nuestras palabras son los que precisamente damos. Sin embargo, a diferencia de lo que sucede en esos casos, en muchos otros la fuerza principal de nuestras expresiones no coincide con la aparente. En tales situaciones, cuando la misma expresión está dotada de dos fuerzas diferentes, una primaria y otra secundaria, se afirma que existe un *acto de habla indirecto* (Searle 1990, 168-82). Así sucede, por ejemplo, con expresiones como

(2) ¿Es que no te puedes callar?
(3) Te he dicho mil veces que no grites

En tales casos, lo cierto es que la forma de las expresiones no refleja fielmente su fuerza, pues ni se pregunta si se es capaz de guardar silencio, sino que se pide u ordena guardar silencio; ni se afirma que una orden ha sido formulada mil veces, sino que se ordena (nuevamente) no gritar. Hay aquí, pues, dos fuerzas diferentes, una primaria y otra secundaria. Lo notable del fenómeno de los actos de habla indirectos radica en que el hablante da a entender a su interlocutor más, o una cosa diferente, de lo que realmente dice, y en que el interlocutor entiende al hablante a pesar de ello. Esto evidencia, de paso, que el análisis de las expresiones lingüísticas y de los actos de habla ha de contar necesariamente, no sólo con datos relativos a su contenido literal, sino también con información extralingüística contextual, así como con ciertos principios que rigen el intercambio verbal y, en particular, con aquéllos bajo los cuales las expresiones adquieren pleno sentido. Esa ha sido, justamente, la tesis defendida por Searle: en los actos de habla indirectos el hablante comunica al oyente más de lo que efectivamente dice, apoyándose en una base de información compartida, tanto lingüística como no lingüística, junto con determinadas facultades de raciocinio e inferencia que posee el oyente (Searle 1990, 169). El fenómeno de los actos de habla indirectos supone que una oración, que contiene los indicadores de fuerza para una clase de acto, puede ser emitida para realizar, *además*, otro tipo de acto, o bien que el hablante puede emitir una oración y querer decir lo que dice, *a la vez* que intenta decir algo con un contenido diferente (Searle 1990, 168).

4.2.2. El campo de las directivas ha sido, justamente, un campo fecundo para el desarrollo de la teoría de los actos de habla indirectos. Se ha mostrado allí la gran variedad de formas indirectas que pueden asumir las prescripciones (Searle 1990, 171-2). Pues bien, mi tesis es que oraciones como (1), o similares, al amenazar (directamente) con un castigo para el caso de ejecución (u omisión) de cierta acción, prescriben (indirectamente) la omisión (o ejecución) de dicha acción. Esta idea, desde luego, tiene cierto arraigo teórico y está directamente vinculada con la noción de sanción propuesta por autores como von Wright: sancionar es, básicamente, amenazar con un castigo.

Con la amenaza sucede algo similar a lo que ocurre con la protesta: así como protestar incluye tanto una desaprobación como una petición (o exigencia) de cambio, amenazar incluye tanto la determinación de un castigo como la prescripción de ejecutar (u omitir) cierta acción. Quien dice, por ejemplo,

(4) El que hable será castigado con diez azotes

dice, al menos, dos cosas a la vez:

(5) ¡No hablen!
(6) Diez azotes es el castigo por hablar

Una vez señalado este hecho, resulta difícil negar que oraciones como (1) o (4) son usadas para expresar una amenaza con el propósito de provocar acciones y reacciones en el agente. Basta observar a los padres usando oraciones de ese tipo en la educación de sus hijos para convencerse de que es así como se usan, al menos en estas ocasiones, y lo mismo es verdad cuando los adultos hablan entre sí disuadiéndose e intimidándose recíprocamente, como si estas oraciones fueran armas verbales. Que tales oraciones son usadas así a menudo parece obvio y que sean usadas así típicamente parece casi tan obvio. Cuando un sujeto aprende a usar y a comprender oraciones de este tipo, sabe que las amenazas indican algo que no se hará, y que ellas deben ser pronunciadas, en general, con la entonación adecuada de intimidación o advertencia.

La tesis es, en verdad, bastante sencilla e intuitiva, sobre todo si se acepta que un sujeto puede manifestar su voluntad de que otro haga o se abstenga de hacer algo en situaciones muy diversas de la vida social. Como las circunstancias en que intentamos dirigir la conducta de los demás son muy variadas y complejas, utilizamos formas más o menos directas para lograrlo. Las peticiones, las súplicas y las advertencias, en sus diversas formas, son maneras de influir en la conducta de otros y, por consiguiente, pertenecen a la categoría general de las directivas. El pedido, por lo general, va dirigido a una persona que se halla en condiciones de prestar algún servicio a quien lo emite, y no sugiere qué puede ocurrir en caso de que el destinatario no acceda a él. La súplica, en cambio, es utilizada cuando la persona que la profiere está a merced de otra, en algún sentido, o ésta puede liberarla o sacarla de una situación riesgosa determinada. La advertencia, por su lado, es usada para dar a conocer al destinatario la existencia de algún peligro más o menos inminente que puede ser evitado comportándose tal como en ella se indica. Pues bien, en ese continuo del uso directivo, probablemente, la amenaza ocupe uno de los extremos. Su nota distintiva es que quien la formula, para asegurar la ejecución de cierta acción que dé concreción a sus deseos (explícitos o implícitos), hace saber al destinatario que le hará algo (directa o indirectamente) que se considera dañoso o desagradable en caso de no llevar a cabo dicha acción.

4.2.3. La concepción que acabo de proponer es deudora, en un sentido importante, del imperativismo jurídico de John Austin. Como se sabe, según la teoría de Austin, las normas jurídicas pueden ser concebidas como órdenes respaldadas con amenazas: "Si tú –decía Austin– expresas o formulas un deseo de que yo haga u omita algún acto, y vas a infligirme un daño en caso de que no cumpla tu deseo, la expresión o formulación de tu deseo es un mandato. Un mandato se distingue de otras manifestaciones de deseo no por el estilo en que el deseo se manifiesta sino por el poder y el propósito por parte del que lo emite de infligir un daño o castigo en caso de que el deseo no sea atendido" (Austin 1913, 11-2). Así, para Austin, una expresión de deseo o una manifestación de voluntad se caracteriza por llevar aparejado un daño en el supuesto de que no se cumpla. Si el daño no se anuncia ni se desea para el caso de desobediencia, tal expresión de voluntad no constituye un mandato, aunque haya sido formulada en términos imperativos.

El error señalado de esta teoría ha sido extender el modelo a todas las normas del sistema jurídico. Hart se encargó de mostrar en su momento que esto representa una exageración deformante, incapaz de dar cuenta de problemas que él mismo advirtió. Sin embargo, creo que el modelo es perfectamente adecuado para reconstruir el carácter que poseen y la función que desempeñan las normas penales, sin caer en el exceso denunciado de pretender incluir en él a todos los componentes del sistema. Pienso, incluso, que el propio Hart era consciente de ello, pues en más de un pasaje de su obra formuló observaciones en tal sentido; así, llegó a decir: "De aquí que la forma *típica*, incluso de una ley penal (que de todas las variedades de normas jurídicas es la que más se asemeja a una orden respaldada por amenazas), es general de dos maneras: indica un tipo general de conducta y se aplica a una clase general de personas de quienes se espera que adviertan que rige para ellas y que cumplan con lo prescrito" (Hart 1961, 27); también señaló que "El concepto de órdenes generales respaldadas por amenazas (...) se aproxima obviamente más a una ley penal sancionada por la legislatura de un estado moderno, que a cualquier otra variedad de derecho" (Hart 1961, 31).

4.3. Precisiones conceptuales

4.3.1. Seré un tanto más preciso con los conceptos centrales en juego: sancionar, amenazar y castigar.

Ante todo, es necesario distinguir, en este contexto, dos sentidos conexos de "sancionar": por un lado, el término "sancionar" se halla asociado a la acción de prever o establecer un castigo en una disposición de carácter general, pero, por otro lado, "sancionar" se vincula a la acción de aplicar un castigo mediante una decisión de carácter individual. En el esquema propuesto, la sanción se halla concebida en relación al primer sentido. Ese ha sido, por cierto, el sentido empleado por von Wright para definir su propia noción de "sanción": "La sanción puede, para nuestro propósito, definirse como una amenaza de castigo, explícito o implícito, por desobediencia de la norma" (von Wright 1963, 139-142). Esa caracterización iba acompañada de la observación de que la existencia de una amenaza de castigo no es, por sí misma, un motivo para la ejecución de la acción, pero que el miedo al castigo, sin embargo, sí lo es. En tal caso, cuando la amenaza de castigo genere miedo al castigo, se estará en presencia de una sanción eficaz. La función de la sanción es, de este modo, constituir un motivo de obediencia de cierta norma o un motivo para la ejecución de cierta acción en ausencia de otros motivos en igual sentido y en presencia de otros más en sentido contrario. Cuando el sujeto pretende llevar a cabo cierta acción sancionada (amenazada), el miedo al castigo es, en ciertos casos, *uno* de los motivos que pueden llevarle a no ejecutar dicha acción y, en otros, incluso, el *único* capaz de hacerlo. Demás está decir que el mero uso de palabras amenazantes no constituye una amenaza eficaz, pues una de las condiciones necesarias de la eficacia de una amenaza es la creencia –acertada o equivocada– del sujeto amenazado de que el mal con que se le amenaza se producirá si ejecuta la acción sancionada. Cuando el sujeto que amenaza puede realmente castigar al amenazado, cabe decir que, en cierto aspecto, es más fuerte o que dispone de más fuerza que éste.

4.3.2. Amenazar, por su lado, es un modo de ejercer influencia (Zimmerling 1993). Ejercer influencia hace alusión a una interacción que involucra dos acciones de dos agentes, de manera que un sujeto influye en otro para que ejecute cierta acción si lleva a cabo otra acción que ocasiona que el otro elija no ejecutar aquélla. La acción influyente del agente consiste normalmente en una comunicación verbal mediante la cual un sujeto disuade a otro de realizar determinada acción. Las amenazas de castigo pueden considerarse, justamente, una clase especial de disuasión: un sujeto puede disuadir a otro de hacer algo amenazándole con un castigo para el caso de que lleve a cabo dicha acción. De este modo, las amenazas son intervenciones de otros en las deliberaciones prácticas individuales y están dirigidas por sus autores a influir en la conducta de un agente receptor, alterando el alcance de sus deseos e intenciones de ejecutar determinada acción, que es capaz de realizar. Así, en suma, si un sujeto dice a otro que le castigará si ejecuta cierta acción, y si, a resultas de ello, éste se abstiene de llevarla a cabo, estaremos ante un caso de disuasión y, por tanto, de influencia sobre otro. Este esquema coincide, desde luego, con la idea arraigada de que el derecho penal tiene (o pretende tener) poder disuasorio: "Promulgando y haciendo cumplir la legislación penal un gobierno logra usualmente disuadir a cierta clase de personas de actuar ilegalmente. En este aspecto, ejerce poder sobre aquellas personas cuya obediencia a la ley está motivada –exclusiva o al menos fundamentalmente– por su deseo de evitar incurrir en una sanción legal" (Oppenheim 1981, 20).

4.3.3. Diré, por último, que como resultado de las propuestas de autores como Benn, Flew y Hart, se acepta usualmente que los casos de castigo (o pena) tienen que presentar las notas siguientes: (1) acarrear dolor u otras consecuencias que normalmente se consideran desagradables (2) ser impuesto por una transgresión a normas jurídicas (3) ser infligido a quien realmente se considera autor de una transgresión (4) ser impuesto intencionalmente por otros seres humanos (no por el transgresor mismo), y (5) ser impuesto por una autoridad constituida por un ordenamiento jurídico contra el cual se ha cometido la transgresión (Benn 1958, 325; Flew 1954, 291; Hart 1968, 4-5). Ross ha sugerido incluir en el esquema una nota adicional (6), vinculada con la reprochabilidad de la acción castigada (Ross 1976, 155-7). Según Ross, el esquema anterior es deficiente porque no incluye la exigencia de que la medida punitiva sea expresión de desaprobación frente a la acción en cuestión y, por consiguiente, una expresión de censura o reproche contra el transgresor; así, sería una imposibilidad lógica poner en práctica las exigencias de un sistema normativo sin expresar, a la vez, desaprobación por la acción que da origen a ello (Primoratz 1989, 187-205). Sobre esta base, cabe señalar, en resumen, que la acción castigada constituye una acción infractora y reprochable (notas 2 y 6, si se acepta la sugerencia de Ross); la acción de castigar, por su lado, implica la privación intencionada al autor de derechos normalmente reconocidos u otras medidas no placenteras (notas 1, 3 y 4) a manos de un órgano del mismo sistema que ha convertido en delito el acto de que se trata (nota 5).

5

Permisos y normas permisivas

5.1. Permiso fuerte y permiso débil

5.1.1. Ante todo, es conveniente recordar que las oraciones deónticas, oraciones que contienen expresiones como "obligatorio", "prohibido" o "permitido", exhiben una ambigüedad peculiar, dado que en algunos casos son usadas para prescribir y en otros para proporcionar información acerca de la pertenencia de normas a sistemas. En el primer caso, cuando son usadas prescriptivamente, expresan *normas*, mientras que, en el segundo, cuando son usadas descriptivamente, expresan *proposiciones normativas*. Tales proposiciones normativas ofrecen, básicamente, información sobre el estatus normativo de ciertas acciones o estados de cosas y son verdaderas si, y sólo si, la acción o el estado de cosas referido en la proposición tiene efectivamente la propiedad de ser obligatorio, prohibido o permitido de acuerdo con el conjunto de normas considerado.

En segundo lugar, conviene señalar que el término "permitido", cuando aparece en expresiones utilizadas para expresar proposiciones normativas, resulta de nuevo sistemáticamente ambiguo, pues en ciertos casos supone la presencia de la norma que permite p en el sistema S, mientras que en otros supone la mera ausencia de la norma que prohibe p en dicho sistema. Se ha dado en denominar, respectivamente, "permiso fuerte" y "permiso débil" a estos dos sentidos de "permiso", y se los puede distinguir en la notación simbólica de la siguiente manera: **Pfps** y **Pdps**. Las definiciones son, pues, las siguientes (usaré los símbolos "ϵ" y "$\notin$" para las nociones de pertenencia y no pertenencia, respectivamente):

(1) **Pfps** =df Pp ϵ S
(2) **Pdps** =df Vp $\notin$ S

5.1.2. De acuerdo con la opinión de von Wright, "un permiso débil no es un carácter de las normas independientes. Los permisos débiles no son en absoluto prescripciones o normas. Sólo un permiso fuerte es un carácter de las normas" (von Wright 1963, 102). Todo parece indicar que von Wright confunde el permiso en sentido normativo con el permiso en sentido descriptivo, esto es, pasa por alto inadvertidamente la distinción entre normas y proposiciones normativas. Esa es, probablemente, la razón por la que sostiene que el permiso fuerte es un carácter normativo, lo que supone que se trata de un concepto prescriptivo de permisión, cuando que, en rigor, el permiso fuerte sólo es concebible en el marco de las proposiciones normativas, tal como sucede con el permiso débil (Alchourrón-Bulygin 1991, 220).

Por otro lado, siempre según von Wright, "los actos que están permitidos en el sentido fuerte, lo están también en el sentido débil, pero no necesariamente viceversa" (von Wright 1963, 101). También en esto todo parece indicar que von Wright equivoca el análisis, pues resulta perfectamente posible que una misma acción se halle en un sistema normativo permitida (en el sentido fuerte) y prohibida, a la vez. Ello supondría, obviamente, que el sistema en cuestión es incoherente, pero tal situación resulta no sólo perfectamente posible, sino también bastante frecuente. Es probable que el origen del error se encuentre en la formulación ambigua de la noción de permisión fuerte ofrecida por von Wright. Sucede que, de acuerdo con una primera versión, versión (1), "un acto se dirá que está permitido en el sentido fuerte, si no está prohibido pero ha sido sometido a norma", mientras que, conforme a una segunda versión, versión (2), "un acto está permitido en el sentido fuerte si la autoridad ha considerado su estado normativo y decide permitirlo" (von Wright 1963, 101). Obviamente, ambas versiones resultan diferentes, lo que puede observarse con facilidad una vez formalizadas del siguiente modo:

(3) **Pfps** (versión 1) = df (Pp $\in$ S) & (Vp $\notin$ S)
(4) **Pfps** (versión 2) = df Pp $\in$ S

De este modo, es verdad en tales condiciones que el permiso fuerte en su versión (1) implica al permiso fuerte en su versión (2) y al permiso débil, tal como postula von Wright. Pero si se acepta la versión (2) como la reconstrucción más adecuada de la noción de permisión fuerte, es falso que ella implique a el permiso débil. Por cierto, se ha ofrecido justificación suficiente para tal aceptación (Alchourrón-Bulygin 1991, 217-8).

A fin de evitar confusiones posteriores, resultará conveniente dejar en claro las relaciones existentes entre operadores (normativos y proposicionales normativos).

5.1.3. Según lo expuesto con anterioridad, las oraciones deónticas son ambiguas, en el sentido de que pueden ser empleadas para expresar normas o proposiciones normativas. Por consiguiente, al igual que con las oraciones que contienen la palabra "permitido", aquéllas en que aparece la palabra "prohibido" también pueden ser analizadas en términos de normas y de proposiciones normativas. Distinguiremos en la notación estos usos con los símbolos "**Vps**" (proposición normativa) y "Vp" (norma), respectivamente. De este modo, "**Vps**" expresa una proposición de acuerdo con la cual la acción p está prohibida en el sistema s; en cambio, "Vp" representa la norma según la cual se prohibe p. La representación formal de la proposición en cuestión es la siguiente:

(5) **Vps** = df Vp $\in$ S

Pues bien, la expresión "Vp" es equivalente a estas otras: "O-p" (obligatorio omitir p) y "-Pp" (no permitido p); y lo mismo ocurre con "-Vp" respecto de "-O-p" (no obligatorio omitir p) y de "Pp" (permitido p). Por otro lado, "**Vps**" resulta contradictoria respecto del permiso débil, es decir, respecto de "**Pdps**" y son, consiguientemente, interdefinibles mediante la negación: **Vps** = –**Pdps** y, a la inversa, –**Vps** = **Pdps**. Pero, en cambio, **Vps** y **Pfps** no son interdefinibles, puesto que p puede hallarse prohibida y permitida (en sentido fuerte) al mismo tiempo en el sistema normativo S, en cuyo caso ambas proposiciones serán verdaderas y el sistema resultará inchorente (respecto de p); además, puede suceder que p no esté prohibida ni permitida (en sentido fuerte) en el sistema, en cuyo caso ambas proposiciones serán falsas y el sistema resultará incompleto (respecto de p).

5.1.4. Mucho se ha debatido acerca de la distinción entre *permisión fuerte* y *permisión débil* (von Wright 1963; Ross 1968; Moore 1973; Raz 1975; Ziembinski 1976; Echave-Urquijo-Guibourg 1980, 155-8; Opalek-Wolënski 1973, 1986, 1991; Alchourrón- Bulygin 1984a, 1988; Guibourg 1987; Atienza-Ruiz Manero 1996). La conclusión principal que puede extraerse de tal debate es que dicha distinción posee escasa o nula importancia en sistemas extremadamente simples, donde sólo existe una autoridad normativa. Pero la situación, en cambio, parece diferente si se consideran sistemas en los que existen múltiples autoridades normativas jerárquicamente ordenadas. Y como en contextos jurídicos existe una pluralidad de autoridades investidas de competencias jerarquizadas, la distinción resulta relevante. Por ejemplo, imaginemos un sistema con dos autoridades con funciones normativas, A1 y A2, siendo A1 superior respecto de A2; supongamos, además, que A2 tiene competencia para dictar y derogar normas (salvo aquéllas dictadas por A1). En un sistema como el anterior, la distinción en cuestión cobra sentido si consideramos que aquellos actos permitidos en sentido fuerte por A1 no pueden ser prohibidos por A2 sin generar una inconsistencia en el sistema; sin embargo, los actos permitidos en sentido débil por A1 sí pueden ser prohibidos por A2 sin producir la mencionada inconsistencia. A partir de ello, se ha sugerido concebir a las permisiones fuertes como rechazos anticipados de prohibiciones posteriores, lo que supone que si dichas normas prohibitivas llegaran a dictarse, serían susceptibles de ser invalidadas por contradecir normas de jerarquía superior en virtud del principio *lex superior*.

Esta es la idea defendida por algunos autores al explicar que, en muchos casos, las normas subconstitucionales que prohiben u ordenan una acción permitida por una norma de rango constitucional la contradicen y resultan, por consiguiente, inconstitucionales. De modo tal que, dada la construcción jerárquica del ordenamiento jurídico, tales normas permisivas poseen una función relevante al fijar ciertas restricciones en la emisión de normas de nivel inferior, función que, por cierto, no puede ser cumplida con la mera ausencia de normas de mandato o prohibición (Alexy 1986, 223-5). Este parece un argumento suficientemente importante para justificar la distinción propuesta. El argumento funciona, por cierto, fuera del ámbito constitucional, en cualquier contexto donde exista cierta prelación normativa no quebrantable libremente por las autoridades del sistema. Pero, además, es posible justificar la distinción explicando las funciones asignadas a las normas permisivas, funciones que no pueden ser cumplidas mediante la mera ausencia de normas prohibitivas.

5.2. Normas permisivas

5.2.1. Se estima razonable afirmar que no cualquier sujeto puede otorgar un permiso a otro, puesto que el individuo que otorga un permiso debe poseer alguna forma de habilitación como autoridad. Von Wright concibe esa habilitación como cierta forma de relación basada en la superioridad física de quien emite la norma respecto de aquel a quien ella va dirigida, superioridad que se traduce en la posibilidad de aplicar efectivamente una sanción o castigo en caso de desobediencia. González Lagier ha reconstruido con sumo cuidado este aspecto de la teoría de von Wright, concluyendo que, para ese autor, "la capacidad de mandar es la capacidad de obligar al sujeto a hacer la clase de cosa que se le manda" (González Lagier 1995, 344-9). Esto sin embargo es claramente insuficiente para dar cuenta de las normas permisivas y debe, consiguientemente, ser destacado.

Sucede que en el caso de los permisos no cabe hablar de capacidad o incapacidad de mando (como capacidad de sometimiento), o de desobediencia o incumplimiento por parte de quien no hace uso del permiso otorgado. Alchourrón y Bulygin han sugerido un ajuste del criterio ofrecido por von Wright. Tal ajuste se funda en la tesis de que "la capacidad para permitir supone la capacidad para ordenar" (Alchourrón-Bulygin 1979, 36; 1991, 76); más precisamente, el criterio es el siguiente: "un individuo A puede permitir a B la realización de la conducta p, si y sólo si, A puede ordenar a B que haga o deje de hacer p" (Alchourrón-Bulygin 1979, 36). Dada la formulación del criterio, es necesario efectuar algunas observaciones.

De acuerdo con el criterio, quien se encuentra habilitado para permitir a otro la realización de un acto p, se encuentra habilitado para ordenarle la realización de dicho acto o su omisión. Esto parece encubrir un error, puesto que considerar habilitado para ordenar una acción p a quien se encuentra habilitado para permitir p resulta excesivo; puesto de otra manera: sostener que quien puede permitir p puede ordenar p es exagerado. Ejemplifiquemos: supóngase que A habilita (autoriza) a B para permitir a C la realización de p; se sigue de allí que B se encuentra habilitado para negar a C la autorización para realizar p, lo que equivale a decir que se encuentra habilitado para prohibir p a C; no se sigue de allí, sin embargo, que B se encuentre habilitado para ordenar a C a realizar p. B se encuentra habilitado, simplemente, para conceder o negar el permiso en cuestión, pero no para ordenar la ejecución de la referida acción. En otros términos, el criterio ofrecido debería ser reformulado, en todo caso, del siguiente modo: un sujeto A puede permitir a un sujeto B la realización de la conducta p si, y sólo si, A puede ordenar a B que omita hacer p. Esta ha sido, por cierto, la manera concebida por Nino, en términos aproximados, para proporcionar el criterio: "Para que se diga que alguien dio permiso para realizar cierta conducta tiene que tener capacidad para ordenar su opuesta, es decir, para prohibir la conducta en cuestión" (Nino 1980, 66-7). Nino, sin embargo, agrega algo importante acerca de las funciones propias de las normas permisivas al decir que "cuando alguien permite algo es porque ese algo está prohibido o hay una expectativa de que se lo prohiba" (Nino 1980, 67), de modo tal que "ciertas normas permisivas pueden ser interpretadas como si derogaran por anticipado posibles prohibiciones futuras" (Nino 1980, 66). Este punto requiere mayor atención, por lo que volveré sobre él.

Un modo alternativo de interpretar la relación entre la autoridad y los sujetos consiste en reemplazar la noción de superioridad física por el concepto normativo de *competencia*. Desde este punto de vista, una autoridad será competente para dictar una norma (permisiva o de obligación) cuando el acto de dictar la norma en cuestión esté autorizado por otra norma dentro del sistema de referencia. Así, de una norma dictada por una autoridad competente se dirá que es *válida*, en el sentido de la legalidad del acto de su creación.

5.2.2. Se ha sostenido que si existe un elemento en los permisos que no resulta reducible a los otros caracteres normativos (obligación y prohibición), es el elemento *tolerancia*: "lo que es característicamente 'permisivo' de los permisos sería la declaración por la autoridad normativa de su tolerancia de una determinada conducta por parte del sujeto (sujetos) de la norma. Los permisos son esencialmente *tolerancias*", afirma von Wright (von Wright 1963, 105). Ahora bien, una declaración de tolerancia puede entenderse de dos maneras diferentes: como una *declaración de intención* por parte de quien dicta la norma permisiva de no interferir en la libertad del destinatario en un determinado respecto, o bien como una *promesa de no interferencia* en la ejecución del acto permitido. Esto parece conducir a la conclusión de que permitir, desde el primer punto de vista, no supone dictar una norma, dado que las declaraciones de intención no constituyen normas; mientras que, desde el segundo punto de vista, en cambio, cabría ver en las permisiones alguna forma de normas, pues se entiende, en general, que las promesas constituyen normas autónomas, es decir, normas que se dicta un sujeto a sí mismo con el propósito de (auto)obligarse ante otros a realizar cierto acto. En palabras de von Wright, "una declaración de intención no es un concepto normativo en absoluto, mientras que una promesa obviamente lo es. Si esto se admite, los permisos como meras declaraciones de intención de no interferir no se considerarían como normas en absoluto. Sólo los permisos, en tanto promesas de no-interferencia, serían normas" (von Wright 1963, 105). En el esquema explicativo de von Wright, la tolerancia supone, *grosso modo*, un compromiso de "dejar en paz" al sujeto en caso de que decidiera llevar a cabo la acción en cuestión (von Wright 1963, 209).

Un vínculo significativamente diferente entre los conceptos de *permiso* y *tolerancia* ha sido sugerido de manera indirecta por Garzón Valdés. En efecto, Garzón Valdés opina que "quien tolera se abstiene de prohibir o deroga una prohibición" (Garzón Valdés 1992, 19), de donde surge claramente que son dos las circunstancias normativas que configuran, en su concepción, la tolerancia: (1) no prohibir o (2) derogar una prohibición.

Cabe advertir, en cuanto a (1), que no prohibir una conducta p supone, bajo ciertos supuestos, mantener permitida (en sentido débil) dicha conducta. Por otro lado, en cuanto a (2), es necesario mayor cuidado, puesto que es posible derogar una prohibición mediante dos mecanismos diferentes, a saber: mediante el dictado de una norma incompatible con la norma prohibitiva, la que resulta reemplazada por la nueva norma en virtud de la regla *lex posterior*, o bien mediante un acto derogatorio, en sentido estricto, es decir, mediante un acto dirigido a eliminar la norma en cuestión del sistema de referencia, sin incluir norma alguna en sustitución de la derogada. En la primera hipótesis, el dictado de una norma permisiva constituirá a la conducta p en una conducta permitida (en sentido fuerte); en la segunda hipótesis, en cambio, la derogación de la norma que prohibe p llevará a que la mencionada conducta sea considerada permitida (en sentido débil) a partir de la realización del acto derogatorio. En ambos casos el sistema sufrirá alguna *modificación*, ya sea en virtud de una *revisión* (sustitución en el conjunto normativo de una norma por otra, incompatibles entre sí) o en virtud de una *contracción* (sustracción de una norma del conjunto normativo) (ver 8.1.2.).

La idea de *tolerancia* de von Wright no está basada en actos normativos, tal como sucede con el concepto ofrecido por Garzón Valdés, sino en circunstancias fácticas reducibles a la no interferencia sobre la conducta: tolerar sería, en el contexto de la teoría de von Wright, no impedir o no obstaculizar de hecho la ejecución de la conducta permitida. Volveré sobre la noción de *no-interferencia* a fin de destacar su relevancia para una teoría de las normas permisivas. Mostraré entretanto su vinculación con la noción de *libertad*. Este vínculo, por cierto, se halla presente en la teoría de von Wright al decir: "Querer dejar a un agente en libertad de hacer algo corresponde a querer hacer que un agente haga algo en el caso de los mandatos" (von Wright 1963, 133).

5.2.3. Buena parte de la discusión acerca de las normas permisivas gira en torno a las funciones que ellas cumplen o pueden cumplir dentro de un sistema normativo. En este sentido, las opiniones son llamativamente encontradas (von Wright 1963; Ross 1968; Moore 1973; Raz 1975; Ziembinski 1976; Opalek-Wolënski 1973, 1986, 1991; Alchourrón-Bulygin 1984a). En mi opinión, parece razonable asignar a las normas permisivas al menos cuatro funciones básicas diferentes:

(1) Función indicativa. Las normas permisivas tienen por función indicar a sus destinatarios cuáles son las conductas consentidas por la autoridad emisora, del mismo modo que las normas de obligación indican cuáles son las conductas pretendidas por ella. Por consiguiente, dada una autoridad normativa, es razonable dividir los actos humanos en dos grupos: actos regulados y actos no regulados por ella mediante normas dictadas con ese fin. De ese modo, que un acto se halla regulado significa que la autoridad ha decidido su actitud hacia él, ya sea ordenándolo, prohibiéndolo o permitiéndolo. Esta función indicativa cobra especial sentido tratándose de actos relevantes, desde algún punto de vista, para una comunidad en un tiempo dado y no contemplados por el sistema normativo de referencia: "nuevas especies de acto –ha dicho von Wright a este respecto– hacen su aparición a medida que se van desarrollando los talentos humanos y van cambiando las instituciones y las formas de vida", por lo que, "según se van desarrollando nuevas especies de actos, las autoridades de las normas pueden sentirse en la necesidad de considerar si ordenarlas o permitirlas o prohibirlas a los sujetos" (von Wright 1963, 101). En ciertos casos, pues, la autoridad puede considerar conveniente (y hasta necesario), en determinadas condiciones, permitir expresamente algunos de tales actos y no guardar silencio a su respecto (véase Ross 1968, 116).

(2) Función modificatoria. Tal función consiste, básicamente, en reemplazar o establecer excepciones a las normas de obligación existentes en el marco de un sistema normativo dado, lo que supone que las permisiones cancelan o derogan (total o parcialmente) normas de obligación. De este modo, dada cierta norma de obligación, por ejemplo O-p ("Obligatorio omitir p" o "Prohibido p"), y la intención de la autoridad normativa de modificar el estatus normativo de la acción p, en el sentido de consentir su libre ejecución por el sujeto destinatario, es necesaria la emisión por su parte de una norma de la forma Pp, que reemplazará a la anterior en virtud de la regla *lex posterior*. En otras palabras: si en un tiempo dado rige la norma Vp y en un tiempo posterior es dictada la norma Pp, ésta reemplazará a aquélla, modificando, de ese modo, el estatus normativo de la acción p.

(3) Función restrictiva. En circunstancias distintas a las contempladas en los apartados anteriores puede tener mucho sentido permitir expresamente una acción que no se halla prohibida en el sistema en cuestión. En efecto, esto es así si se considera la posibilidad de que existan múltiples autoridades en relación jerárquica, en cuyo caso el permiso expreso de una acción por parte de la autoridad superior restringirá, en cierta medida, la emisión de normas prohibitivas respecto de dicha acción por parte de autoridades inferiores, so pena de introducir una contradicción en el sistema. Dicho en otros términos: si una autoridad superior ha permitido la acción p mediante una norma expresa como Pp, entonces ninguna autoridad inferior puede (en el sentido de posibilidad) dictar una norma como Vp sin producir un conflicto en el sistema, pues Vp y Pp resultan inconsistentes.

(4) Función de clausura. Una función relevante asignada a cierta norma permisiva peculiar es la de clausurar los sistemas normativos. Se trata, en efecto, de una norma permisiva con un contenido especial: esa norma permite todos los actos o estados de cosas que no han sido regulados por otras normas del sistema, de modo tal que si una norma con ese contenido es agregada a un sistema normativo, éste resultará completo o cerrado (von Wright 1963, 102; Alchourrón-Bulygin 1991, 221). Se ha probado con rigor que la regla de clausura debe ser necesariamente una norma permisiva ("Todo lo no regulado está permitido"), si se pretende preservar la coherencia del sistema, pues el permiso es el único carácter deóntico que puede calificar, a la vez, una acción y su negación, sin que se produzcan inconsistencias: una norma de clausura prohibitiva ("Todo lo no regulado está prohibido") generaría incoherencias en los casos en que no estuviera normados p y no-p, pues las normas Vp y V-p son incompatibles; lo mismo sucedería con una norma de clausura obligatoria ("Todo lo no regulado es obligatorio"), con el agravante de que se produciría, además, una contradicción en el caso de que estuviese permitido p y no estuviera regulado no-p, pues las normas Pp y O-p son incompatibles. En este sentido, el carácter permitido ocupa un lugar privilegiado en los sistemas normativos, pues las normas de clausura que prohiben u ordenan las acciones no reguladas por el sistema no resultan lógicamente admisibles (von Wright 1963, 102-3; Alchourrón-Bulygin 1971, 195).

5.3. Permisos y derechos individuales

5.3.1. El hecho de que una acción se halle permitida (en sentido fuerte) por una autoridad, supone que tal acción será tolerada por dicha autoridad si llegara a ser ejecutada por el sujeto destinatario del permiso. Esta determinación de la autoridad de no interferir en la conducta del sujeto respecto de ese acto, sin embargo, no implica que tal autoridad se encuentre comprometida a proteger al destinatario de eventuales interferencias por parte de otros sujetos. Si la autoridad decidiera combinar el permiso con una *prohibición de impedir* (interferir, obstaculizar) al titular del permiso de llevar a cabo la acción en cuestión, podría sostenerse que éste cuenta con un *derecho* en relación con los sujetos de la prohibición complementaria. De allí que se expliquen los efectos del reconocimiento de un derecho diciendo que "al conceder un derecho a algunos sujetos, la autoridad declara que tolera un determinado acto (o abstención) y que no tolera otros actos determinados" (von Wright 1963, 103-4), siendo estos otros actos los actos de interferencia respecto de la ejecución de la acción permitida. Esto marca, claro está, la *correlación* entre el *derecho* de un sujeto y la *obligación* de otro: decir que un sujeto A tiene el derecho (reconocido por la autoridad), en relación a un sujeto B, de ejecutar (omitir) el acto p, significa que A tiene un *permiso* (otorgado por la autoridad) de llevar a cabo p y, además, que B tiene el *deber de no impedir* que A realice (omita) p.

Kelsen ha advertido que, en general, la idea de *derecho subjetivo* alude a la circunstancia negativa de que la conducta en cuestión del individuo no se encuentra jurídicamente prohibida y, por lo tanto, en este sentido negativo, le está permitida. Pero, sin embargo, como bien aclara Kelsen, "con ese giro también puede querer decirse que un determinado individuo está jurídicamente obligado —o, inclusive, que todos los individuos están jurídicamente obligados— a actuar de determinada manera con respecto del individuo que tiene el derecho subjetivo" (Kelsen 1960, 139).

Este es, desde luego, apenas uno de los tantos sentidos en que se emplea la expresión "derecho subjetivo". Un análisis de la literatura jurídica muestra otras tantas acepciones de la expresión: (1) "derecho" como ausencia de prohibición (2) "derecho" como autorización o permiso (3) "derecho" como correlato de obligación activa (4) "derecho" como correlato de obligación pasiva (5) "derecho" como demanda, acción o reclamo procesal (6) "derecho" como potestad o capacidad de influir en actos de terceros (7) "derecho" como interés protegido (8) "derecho" como inmunidad o correlato de incompetencia (9) "derecho" como privilegio (10) "derecho" como pretensión moral (Kelsen 1960, 138-168; Nino 1980, 195-208; Wellman 1975, 335-361).

5.3.2. Es importante advertir que un mero estado de permisión no garantiza que el sujeto destinatario del permiso en cuestión pueda hacer uso efectivo del permiso, ni que el mismo sea mantenido a su disposición por las autoridades del sistema. Esto puede lograrse, sin embargo, mediante una serie de mecanismos normativos de imposición de restricciones de distinta naturaleza dirigidos a terceros y a agentes emisores de normas. En tal sentido, si un permiso se halla vinculado con tales medidas restrictivas, diremos que se trata de un *permiso protegido*. Por cierto, una idea conexa, la de un *perímetro protector* de la libertad, ha sido sugerida y desarrollada con provecho en otros contextos (Hart 1982, 171). Dichas medidas pueden ser, básicamente, las siguientes:

(1) Imposición de restricciones a la autoridad. Ante todo, conviene poner de manifiesto que la competencia de una autoridad debe ser claramente distinguida tanto de la facultad de ejercerla, como del deber de hacerlo según ciertas reglas. Esto es así porque, además de normas que confieren competencia se dirige a las autoridades determinadas normas reguladoras de conducta en virtud de las cuales la autoridad debe ejecutar ciertos actos y abstenerse de otros. Al atribuir competencia a una autoridad determinada, las normas de competencia establecen las condiciones y los límites bajo los cuales los actos ejecutados por dicha autoridad serán reputados válidos. Al imponer prohibiciones, en cambio, se pretende limitar a la autoridad impidiéndole llevar a cabo ciertas acciones que se consideran disvaliosas, desde algún punto de vista.

Esta distinción parece valiosa por cuanto que exceder las normas de competencia produce la *invalidez* (actual o potencial) de lo actuado; violar las normas prescriptivas, en cambio, genera *responsabilidad* del agente, sin afectar al acto en cuestión. Desafortunadamente, como no siempre las disposiciones legales se hallan cuidadosamente formuladas, no en todos los casos es posible decidir con facilidad si una disposición determinada posee el carácter y la función de una norma de competencia o de una norma de conducta. Ello hace que no pueda determinarse con precisión, en muchas ocasiones, si su quebrantamiento generará la invalidez del acto o responsabilidad de la autoridad. En suma: al considerar las restricciones impuestas a la autoridad, es necesario considerar dos tipos de limitaciones: *prohibiciones* e *incompetencias*. En virtud de las primeras, la autoridad debe abstenerse de ejecutar ciertos actos previstos en normas de conducta, bajo responsabilidad personal por lo actuado en contravención de tales normas. Es necesario considerar, por otro lado, que toda competencia deriva de normas que, al otorgar atribuciones a una autoridad para ejecutar ciertos actos, excluyen, al mismo tiempo, todos aquellos otros para los cuales no concede competencia. Consiguientemente, estas limitaciones (incompetencias) determinan la nulidad o la anulabilidad de los actos ejecutados fuera de los límites de una autoridad (ver 7.4.).

(2) Imposición de restricciones a terceros. Desde otro punto de vista, la protección de un permiso consiste en prevenir la interferencia de terceros respecto de las acciones declaradas permitidas a determinados sujetos normativos. Este mecanismo fue claramente anticipado por Kelsen: "la conducta jurídicamente no prohibida y, por lo tanto, permitida en ese sentido, de un individuo –advertía Kelsen–, puede ser garantizada por el orden jurídico de manera que los restantes individuos estén obligados a consentir ese comportamiento, es decir, estén obligados a *no impedirlo* o *no intervenir* de algún modo en él". Sobre esa base, agregaba Kelsen, "es enteramente posible que la conducta no prohibida y, en ese sentido, permitida, de un individuo (...) se contraponga a la de otro individuo cuya conducta tampoco esté prohibida y, por ende, sea permitida. Tendremos entonces un conflicto de intereses que el orden jurídico no previene" (Kelsen 1960, 252). Esto supone que los permisos débiles generan conflictos que no pueden resolverse invocando normas del sistema relativas a las acciones en cuestión. No sucedería lo mismo, en cambio, si una acción permitida (en sentido fuerte) entrara en conflicto con otra acción permitida

(en sentido débil), pues en tal caso prevalecería la primera en virtud de la norma permisiva. Esto prueba de paso que entre las conductas permitidas en sentidos distintos existen diferencias prácticas (normativas) adicionales: negarlo supondría equiparar la fuerza de ambas formas de permisión en la resolución de conflictos.

No ha faltado, incluso, quien atribuyera a este mecanismo protector el carácter de propiedad definitoria de los permisos. En tal sentido, una invocación reciente de la noción de *no-interferencia* ha sido efectuada por Nino, justamente para caracterizar la idea de *permisión*. En efecto, Nino ha dicho a este respecto que "cuando es debido no interferir con una cierta conducta, esa conducta está permitida"; ha dicho, además, que "si una conducta es debida ella estará permitida, no solamente en el sentido de que no está prohibida, sino en el sentido de que es debido no interferirla" (Nino 1994, 120). El propio von Wright había sugerido como atractiva, aunque con ciertas reservas, esta línea de fundamentación para los permisos (von Wright 1963, 105-7).

5.4. Permisos y libertad

5.4.1. Es frecuente la asociación entre el concepto de *permisión* y el de *libertad* en el lenguaje jurídico. Esta circunstancia se presenta, fundamentalmente, a partir de la concepción de la libertad como la situación en la cual un sujeto tiene la posibilidad de obrar o de no obrar, sin ser obligado a hacer u omitir. Esta manera de entender la libertad, comúnmente denominada *libertad negativa*, consiste, pues, según se afirma, en la ausencia de impedimento o la ausencia de constricción. Pero si se entiende por "impedir" no permitir a otros hacer algo y por "constreñir" obligar a otros a hacer algo, ambas direcciones parecen parciales, puesto que la libertad negativa comprende, por lo común, tanto la ausencia de impedimento como la ausencia de constricción. De este modo, de acuerdo con el primer componente, un sujeto puede obrar porque no existe norma que prohiba la acción que él considera deseable y, de acuerdo con el segundo componente, el sujeto puede abstenerse de obrar porque no existe norma que imponga la acción que él considera no deseable (Bobbio 1993, 97-8; Ross 1968, 159). Formalmente esto sería como sigue:

(6) **Lps** =df (Op $\notin$ S) & (Vp $\notin$ S)

Existe, sin embargo, una manera adicional de concebir la *libertad*, vinculada con el permiso de hacer y omitir reconocida por normas del sistema en cuestión. De este modo, la libertad respecto de una acción existe sólo, pero también siempre y cuando, esté permitido tanto llevarla a cabo como no llevarla a cabo. Consiguientemente, la libertad sería reducible totalmente a permisiones y podría ser definida como la conjunción de una permisión de hacer y una permisión de omitir, es decir, como una *facultad* (Raz 1990, 98; Alexy 1986, 218-21). Formalmente esto sería como sigue:

(7) **Lps** =df (Pp $\in$ S) & (P-p $\in$ S)

Es importante señalar que esta versión de la libertad difiere significativamente de la anterior por la circunstancia de que aquélla es caracterizada en función de la *ausencia* de ciertas normas en el sistema (de prohibición y obligación), mientras que ésta lo es en función de la *presencia* de determinadas normas (de permisión) en el sistema de referencia. También es importante advertir que las expresiones (2) y (4) no son lógicamente equivalentes y que, consiguientemente, no cabe asimilar una reconstrucción a otra.

Para distinguir las dos versiones analizadas del concepto de *libertad* sugiero adoptar la siguiente convención: denominar, por un lado, *libertad negativa* a la primera, pues en tal caso el sistema guarda silencio respecto de la conducta en cuestión, facultándola implícitamente, y *libertad positiva*, por otro, a la segunda, pues en tal caso el sistema concede expresamente una facultad (o libertad) respecto de la conducta considerada. Ellas tienen en común un elemento relevante, a saber, que la magnitud de la libertad está dada por el contenido del sistema normativo de referencia, pues es dicho sistema el que determina el marco de las acciones que pueden ser ejecutadas u omitidas, ya sea porque no existen normas de obligación (de hacer y omitir) o porque existen normas de permisión (de hacer y omitir). Esto supone, en definitiva, que el factor a considerar para medir el grado de libertad negativa es la composición del sistema (Farrell 1992, 131 y 182). Hasta donde sé, esta distinción no ha sido efectuada, en general, por los filósofos interesados en la idea de *libertad*, o bien ellos han pasado por alto indebidamente las circunstancias que reflejan (véase Alexy 1986, 219-21).

5.4.2. El concepto de *libertad negativa* que he analizado en el apartado anterior se vincula, en general, con la ausencia de normas de obligación (de hacer y omitir), razón por la cual cabría denominar a este modo de entender la libertad *libertad negativa normativa*. Distinto de éste, sin embargo, es el concepto de libertad negativa vinculado con la ausencia de restricciones de hecho. En efecto, concebir a la libertad como el ámbito en que al sujeto (persona o grupo) no se le impide hacer (o ser) lo que es capaz de hacer (o ser), sin que interfieran en ello otras personas, remite la libertad a la ausencia de determinadas circunstancias fácticas, ajenas a la regulación normativa de la acción en cuestión. Esta idea parece encerrada en la concepción de la libertad ofrecida por Berlin en la siguiente explicación: "normalmente se dice que yo soy libre en la medida en que ningún hombre ni ningún grupo de hombres interfieren en mi actividad. (...). Yo no soy libre en la medida en que otros me impiden hacer lo que yo podría hacer si no me lo impidieran" (Berlin 1969, 191-2). Este modo de concebir la libertad bien puede ser denominado *libertad negativa fáctica*, pues se configura, como bien ha señalado Berlin, a partir de "la ausencia de obstáculos que impidan posibles decisiones y actividades, la ausencia de obstrucciones en los caminos por los que un hombre puede salir andando" (Berlin 1969, 41).

Es importante advertir que esta idea de libertad hace referencia directa a las posibilidades de llevar a cabo la acción en cuestión o, lo que es lo mismo, a las oportunidades de acción más que a la acción misma, de manera que la libertad respecto de la acción p es la *oportunidad* de hacer p y no el ejecutar p mismo, es la *posibilidad* de hacer p y no necesariamente su ejecución (Berlin 1969, 44). Dicho en otros términos, un sujeto es libre fácticamente de ejecutar la acción p en la medida en que tiene la posibilidad real de hacer p y de abstenerse de p (Alexy 1986, 218). Consiguientemente, sobre la base expuesta, cabe decir plausiblemente que un sujeto no goza de libertad negativa fáctica si no le es posible llevar a cabo una acción respecto de la cual puede gozar incluso de libertad negativa normativa, pues bien puede darse el caso de que el sujeto sea libre en el sentido normativo y que no lo sea en el sentido fáctico. En tal supuesto, podría llegar a afirmarse que el sujeto tiene tan poca libertad para hacer p como si una norma se lo prohibiera (Berlin 1969, 192).

6

Definiciones
y definiciones legales

6.1. Concepciones de las definiciones legales

Se ha advertido que hablar de un sistema de normas parece implicar que todos los elementos que integran tal sistema son normas, en el sentido de normas prescriptivas, es decir, reguladoras de conductas. Sin embargo, con mucha frecuencia los sistemas normativos, en general, y los sistemas (normativos) jurídicos, en particular, contienen elementos que muy difícilmente pueden ser concebidos como estableciendo obligaciones, prohibiciones o permisos. De acuerdo con cierto punto de vista, esto hace desaconsejable llamar "normas" a tales elementos, ya que ello supondría, según se afirma, una desmesurada ampliación del campo de referencia de la palabra, lo que produciría un desdibujamiento total de su significado (Alchourrón-Bulygin 1971, 97). Otros superan este escollo terminológico distinguiendo, lisa y llanamente, distintos sentidos de la palabra "norma" o, si se prefiere, distintos tipos de normas, con caracteres y funciones diferentes (von Wright 1963, 21-35). Existe en la teoría del derecho, de cualquier modo, discrepancias importantes en cuanto a las funciones de las que denominaremos "normas definitorias" dentro de los sistemas jurídicos.

(1) *Las definiciones como normas prescriptivas.* Como la mayoría de los juristas comparte la idea de que el derecho está compuesto por normas y que, por consiguiente, todas las disposiciones de un texto legal son normas, se afirma que las definiciones del legislador son normas que obligan a todos los que usan y aplican las normas jurídicas a usar tales definiciones, es decir, a entender las correspondientes expresiones en el sentido que el legislador les atribuye y a usarlas con ese especial sentido (Messineo 1979, 100). Consecuentemente, las definiciones legales serían una clase especial de normas de conducta que diferirían de las demás por la mera circunstancia de que la conducta prescrita sería verbal o lingüística, pero conducta en definitiva. De este modo, si por la expresión "norma" se entiende una expresión que ordena, prohibe o permite una conducta, las definiciones serían normas, en este peculiar sentido.

(2) *Las definiciones como normas no independientes.* Una variante de la concepción anterior es aquélla de acuerdo con la cual las definiciones constituyen normas no independientes: "a las normas no independientes –dice Kelsen– pertenecen aquellas que determinan con mayor especificidad el sentido de otras normas, en cuanto definen un concepto utilizado en la formulación de otra norma" (Kelsen 1960, 70). Así, por caso, un cuerpo legal puede contener una disposición que establezca una definición de "homicidio" como la siguiente: "Homicidio es la acción de un hombre mediante la cual éste produce intencionalmente la muerte de otro»; tal disposición sólo tendría carácter normativo en conexión con otra disposición que estableciera, por ejemplo, cuanto sigue: "Si un hombre comete homicidio, el tribunal competente le impondrá la pena de muerte». La conclusión kelseniana es que "tales normas no independientes sólo valen en conexión con una norma que estatuye un acto coactivo" (Kelsen 1960, 70).

(3) *Las definiciones como normas técnicas.* De acuerdo con una concepción alternativa, las definiciones legales serían normas técnicas destinadas a la consecución de fines específicos: hacer posible la determinación del alcance de los enunciados formulados y la aplicación correcta de las normas dictadas por el legislador. Concebidas las normas técnicas como expresiones condicionales en cuyo antecedente se hace mención de

algo que tiene o no tiene (en un sentido instrumental) que hacerse, las definiciones legales serían presentables como expresiones de la forma "si pretende entenderse con los miembros del grupo G, otorgue a la expresión '——' el significado – – –". Según la teoría, tales expresiones no son descriptivas ni prescriptivas, aunque se hallan concetadas lógicamente con proposiciones denominadas proposiciones *anankásticas*, las que expresan que algo es condición necesaria de alguna cosa; en el caso en cuestión, de la proposición de acuerdo con la cual "otorgar a la expresión '——' el significado – – – es condición necesaria para entenderse con los miembros del grupo G" (Bacqué 1976, 6). Como el legislador pretende que sus expresiones sean entendidas en el sentido en que él las usa, si éste difiere del uso común, debe indicar cuál es el sentido que le asigna. Se sostiene, además, que, como las definiciones sirven para la identificación de normas, y como la identificación de las mismas es condición necesaria para su aplicación, cabe formular la siguiente regla técnica complementaria: "si pretende usar o aplicar la norma N, debe identificarla y para identificarla debe usar la definición D del legislador; en caso contrario, identificará otra norma y no la dictada por el legislador" (Alchourrón-Bulygin 1983, 24).

(4) *Las definiciones como normas constitutivas.* No puede descartarse que las definiciones legales sean concebidas como normas constitutivas. De acuerdo con la concepción tradicional de las normas constitutivas, éstas crean una actividad o una entidad cuya existencia es dependiente, desde un punto de vista lógico, de tales normas. Las normas constitutivas responden al esquema de las fórmulas "X cuenta como Y", "X tiene el valor de Y", "X tiene el sentido de Y", "X cuenta como Y en el contexto C" o "X tiene el sentido de Y en el contexto C". Cabe apuntar que las fórmulas que anteceden, en especial "X tiene el sentido de Y en el contexto C", poseen una notoria similitud con la presentación estándar de las definiciones legales, a saber: "A los efectos de la presente ley, por '——' se entenderá – – –". Según este punto de vista, las entidades normadas serían institucionales, en el sentido de que su existencia presupondría la existencia de determinadas instituciones sociales; ello significaría, en otros términos, que la expresiones definidas por vía legal lo serían de términos propios del vocabulario jurídico, esto es, de nociones pertenecientes a instituciones de derecho.

(5) *Las definiciones como normas conceptuales*. De acuerdo con cierto punto de vista, es posible distinguir diversos tipos de normas conceptuales, entre las que cuentan las gramaticales y las semánticas. Lo que tienen ellas en común es su carácter definicional, lo que significa, en otros términos, que se las puede considerar como definiciones de ciertos términos o conceptos. Siendo así, las definiciones legales serían normas conceptuales destinadas a funcionar como reglas semánticas y, en particular, a responder a los siguientes propósitos (no excluyentes): dar mayor precisión a un término dado, restringiendo su alcance; ampliar el alcance de un término para incluir en él situaciones que no se hallan (o no se hallan claramente) cubiertas por su sentido; introducir un nuevo término, inexistente en el uso común, tomado por lo general del vocabulario jurídico elaborado por la doctrina (Alchourrón-Bulygin 1983, 22-3).

Aunque debo advertir que apenas alcanzo a ver diferencias de matices entre las concepciones (4) y (5), esta última me resulta teóricamente más adecuada, puesto que la función básica que cumplen las definiciones es poner de manifiesto los caracteres principales o la estructura de un concepto. Esto no excluye, sin embargo, que las definiciones posean efectos normativos (prescriptivos), como pretenden las concepciones (1) y (2), en el sentido de que toda modificación de una definición legal produce una alteración en el estatus normativo de alguna acción o estado de cosas. Tampoco excluye que las definiciones legales puedan dar origen a normas técnicas, aunque esto no habilita a asimilarlas a ellas, como sugiere la concepción (3). Insistiré en la concepción (5).

6.2. Sobre las definiciones

6.2.1. Por lo general, se afirma que definir cierta frase o palabra es transmitir un criterio de uso de dicha frase o palabra, independientemente de cual sea la intención con que se la utiliza. De este modo, cuando explicitamos la regla que determina las condiciones en las que debe usarse (aplicarse a una situación) una frase o palabra, estamos *definiendo* la frase o palabra. Comúnmente hacemos esto usando otras palabras, las cuales deben ser (parcialmente) equivalentes en significado a la palabra definida, de manera tal que la frase definitoria pueda ser remplazada por la palabra definida sin alterar el significado de la oración en que ella aparezca. Este es el sentido más usual y difundido de la palabra "definición": definición por medio de palabras (parcialmente) equivalentes; sin embargo, habitualmente se utiliza la palabra de modo más amplio para incluir toda forma de indicar qué significa una palabra dentro de una comunidad lingüística determinada (Hospers 1967, 39).

Una forma estándar adoptada para definir puede presentarse de la siguiente manera:

(1) "——" se define como – – –

El término definido o *definiendum* ocupa el lugar de la línea continua de la izquierda, mientras que la expresión definidora o *definiens* ocupa el lugar de la línea discontínua de la derecha. La expresión 'se define como' aparece estableciendo una equivalencia (aproximada) de significado entre las expresiones de ambos lados (Robinson 1954, 94-96). Esta relación, por cierto, también puede ser presentada como sigue:

(2) "——" significa – – –

Esta forma puede sufrir modificaciones considerables, dado que, desde cierto punto de vista, las definiciones persiguen, básicamente, dos propósitos: *describir* el significado de un término ya en uso o *asignar*, estipulación mediante, un significado determinado y especial acuñado por primera vez para su uso en un sentido técnico específico. Las definiciones del primer tipo se denominan *informativas* o *lexicográficas* y, como su nombre lo indica, pretenden informar sobre el siginificado de un término determinado; las del segundo tipo, las *estipulativas*, en cambio, establecen el significado basadas en la *libertad de estipulación*, es decir, en la posibilidad de inventar nombres según necesidad o deseo mediante la regla según la cual cualquiera puede usar el sonido que se le antoje para referirse a lo que quiera, siempre y cuando aclare a qué se está refiriendo al utilizar el sonido (Hempel, 1952, 13; Robinson 1954, 35-92; Hospers 1967, 19).

Como las definiciones informativas se proponen analizar el significado aceptado y describirlo con la ayuda de otros cuyo significado es conocido de antemano, ellas pueden expresarse del siguiente modo:

(3) "——" tiene el mismo significado que – – –

En cambio, como las definiciones estipulativas pretenden introducir una expresión que deberá usarse con un sentido determinado dentro de un contexto de discusión, es posible explicitarlas de las siguientes maneras:

(4) Por "——" entenderemos – – –
(5) Por "——" deberá entenderse – – –
(6) "——" tendrá el mismo significado que – – –

En la legislación española, por ejemplo, se formulan definiciones bajo la forma indicada. El artículo 26 del Código Penal expresa: "A los efectos de este Código se considera documento todo soporte material que exprese o incorpore datos, hechos o narraciones con eficacia probatoria o cualquier otro tipo de relevancia jurídica". Es de notar, por cierto, la falta de entrecomillado de la expresión definida.

Pero entre las definiciones informativas y las estipulativas se encuentra un tercer tipo. Dado que ni las definiciones descriptivas ni las estipulativas permiten eliminar la vaguedad y la ambigüedad de los términos, es necesario recurrir, en ciertos casos, a *definiciones aclaratorias*, definiciones que clarifican el sentido de un término vago o ambiguo. Se señala en el campo del derecho, respecto de las definiciones aclaratorias, que muchas decisiones judiciales formulan definiciones de este tipo para precisar el significado de ciertos términos que aparecen en textos legales. Muchas veces se resuelven casos en base al significado establecido mediante una definición aclaratoria. Esta tendencia demuestra que tales definiciones no son puras convenciones, sino que se basan, en parte, en el significado atribuido supuestamente por el legislador y también en lo que el aplicador considera que el término significa.

En síntesis, la definición informativa es utilizada para indicar el significado actual o pasado de una palabra determinada; según que la definición se corresponda o no con dicho uso, puede afirmarse de ella que resulta verdadera o falsa. La definición estipulativa, por su lado, es el instrumento mediante el cual se acuña un nuevo término o se modifica el significado de un término ya existente; sobre esa base, resulta obvio que carece de sentido atribuir valor de verdad a las definiciones estipulativas, aunque sí quedan ellas sujetas a consideraciones de *oportunidad* relativas, al menos, a dos aspectos: uno referido a la decisión misma de introducir un nuevo término o de asignar un nuevo significado a un término ya existente, y otro referido a la elección del término mismo, pudiendo existir desacuerdo respecto de la opción efectuada. La definición aclaratoria, finalmente, pretende eliminar la incertidumbre (real o potencial) que presenta un término adscribiéndole un significado determinado dentro de los márgenes de su sentido usual; también este tipo de definición carece de valor de verdad (Iturralde 1989, 41-2).

6.2.2. No existen mayores controversias acerca del carácter de las definiciones legales. Se afirma que sólo se justifica en contextos legales el uso estipulativo de la definición, puesto que el derecho se expresa en el lenguaje natural de la comunidad en la cual rige y sigue por ello el uso habitual de los términos; consiguientemente, aunque podría aceptarse el uso informativo de las definiciones en cuerpos legales, éste resultaría innecesario y redundante, al tiempo que constituiría un modo poco conveniente de legislar (Bacqué 1976, 8). Como el legislador formula habitualmente las normas en el lenguaje común, que se supone es entendido por los integrantes de la sociedad, no necesita aclarar el sentido de los términos que emplea, dado que puede darse por sentado que los destinatarios le asignan el mismo sentido en que él los ha empleado; sólo cuando el legislador asigna a una expresión un sentido diferente del que tiene en el lenguaje común, se ve ante la necesidad de aclarar tal sentido. De este modo, sólo excepcionalmente el legislador se halla compelido a aclarar el sentido de alguna expresión, a saber: cuando le otorga un sentido especial, distinto del que posee en el uso común (Alchourrón-Bulygin 1983, 21).

Algunos sostienen, incluso, que el problema relativo al carácter de las definiciones legales no se plantea respecto de los términos técnicos, puesto que ellos, por definición, son significativos en virtud de su inserción en el lenguaje jurídico; por consiguiente, carece de sentido plantearse si un término *técnico* determinado posee o no el mismo significado que en el lenguaje común, puesto que raramente aparecerá en la comunicación cotidiana y, en todo caso, lo hará en aquél mismo sentido específico que presenta en el vocabulario jurídico (Iturralde 1989, 57).

6.2.3. Las definiciones son expresiones metalingüísticas. Ocurre que en muchas circunstancias interesa analizar un lenguaje mediante otro lenguaje, y a menudo esa tarea se realiza haciendo uso del mismo lenguaje. Cada vez que se utiliza un lenguaje para analizar otro lenguaje (o el mismo lenguaje) decimos que nos hallamos en situación de *análisis lingüístico.* En toda situación de análisis lingüístico decimos que el lenguaje que es analizado cumple la función de *lenguaje-objeto,* y el que se usa para analizar cumple la función de *metalenguaje.*

El funcionamiento como lenguaje-objeto o como metalenguaje no es absoluto, desde luego, sino relativo, en el sentido de que depende de la situación de análisis. Si se analiza un lenguaje Ll mediante un lenguaje L2, en esa situación Ll funciona como lenguaje-objeto y L2 como metalenguaje; pero si la situación de análisis consistiera en estudiar L2 mediante Ll, los papeles quedarían invertidos. También puede suceder que en determinada situación, el lenguaje-objeto sea una parte del metalenguaje, como al analizar una porción del lenguaje L, usando el mismo lenguaje L. En cualquier caso, es importante tener presente que ser lenguaje-objeto o metalenguaje no son propiedades intrínsecas de cada lenguaje, sino que ello depende de la situación de análisis. Antes que propiedades, en realidad, ellas son funciones.

En toda situación de análisis se necesita hacer referencia, en el metalenguaje, a expresiones del lenguaje-objeto. Por ejemplo, si nos encontramos analizando el inglés (lenguaje-objeto) mediante el español (metalenguaje), necesitaremos referirnos a la palabra inglesa *letter* para establecer (en español) la siguiente regla:

(7) *Letter* significa letra

En estos casos es frecuente el uso de otro tipo de letra (cursiva o bastardilla), como hicimos en la frase precedente, para aludir a la palabra analizada. Sin embargo, cuando el lenguaje-objeto es parte del metalenguaje (o coincide con él), puede originarse con esa estrategia alguna confusión, como en el siguiente caso:

(8) Daniel tiene seis letras

Resulta evidente que, en este caso, no se alude a la persona Daniel sino a la expresión lingüística *Daniel*. En casos como el anterior, el cambio del tipo de letra es un recurso bastante utilizado, pero resulta casi imposible de aplicar en la práctica cuando la situación lingüística es compleja. Supongamos, por ejemplo, que se construye la oración anterior con la convención de poner la cursiva en la expresión *Daniel* y el resto en tipografía normal:

(9) *Daniel* tiene seis letras

Y supongamos ahora que resulta necesario referirse a la oración contenida en (9) y afirmar que ella consta de cuatro palabras; debe elegirse otro tipo de grafía, por ejemplo el subrayado, y escribir algo así:

(10) <u>*Daniel* tiene seis letras</u> tiene cuatro palabras

Si se necesita aludir ahora a la totalidad de esta expresión diciendo, por ejemplo, que consta de siete palabras, debe buscarse otro tipo de letra, y así sucesivamente. Todo esto resulta bastante engorroso y no se presta a un uso sistemático, porque debería aclararse el uso que se hará de cada tipo de letra. Para resolver los inconvenientes que esto plantea, Alfred Tarski ideó una sencilla estratagema que tiene la virtud de admitir un uso sistemático y de permitir todas las reiteraciones necesarias. Dicha estratagema es la siguiente: para aludir en el metalenguaje a una expresión del lenguaje-objeto se coloca esa expresión entre comillas. Aplicando esta convención a los ejemplos anteriores se tiene primero (sin necesidad de modificar la tipografía):

(11) "Daniel" tiene seis letras

y luego

(12) "'Daniel' tiene seis letras" tiene cuatro palabras.

Es posible, desde luego, emplear distintos formatos de comillas para obtener mayor claridad visual, pero la ventaja de esta convención es que no requiere el cambio de tipografía, ni para las letras ni para las comillas. Es conveniente, sin embargo, distinguir entre las comillas que abren y cierran la expresión.

Como regla práctica conviene tener presente la siguiente pauta general: si aludimos en un metalenguaje a una expresión del lenguaje-objeto y deseamos señalar esa expresión, debemos señalarla con comillas, porque el entrecomillado equivale a un señalamiento. Por ejemplo:

(13) El nombre de mi hijo es "Daniel". Daniel es un niño.

Así, en la primera aparición de la palabra "Daniel" estamos hablando acerca de ella y decimos que esa palabra es el nombre de mi hijo, y por eso la ponemos entre comillas. En la segunda aparición de la palabra la empleamos para referirnos a mi hijo, no a la palabra misma, por lo cual no va entrecomillada. Las comillas marcan la diferencia entre la *mención* y el *uso* de una expresión.

6.3. Definiciones y sistemas normativos

6.3.1. Dado que la finalidad principal perseguida por el legislador al dictar normas consiste en motivar ciertas conductas sociales, resulta esencial dar a conocer la norma a aquellos sujetos en cuya conducta se pretende influir. Evidentemente, la emisión de la norma supone el uso de un lenguaje compartido tanto por el legislador como por los destinatarios, es decir, de un sistema de símbolos que sirve a la comunicación (gestos, luces, banderas, palabras). En otros términos, la actividad de legislativa presupone la existencia de una comunidad lingüística a la que pertenecen todos los involucrados en ella, en sus distintos caracteres (autoridad emisora, intermediarios, sujetos receptores).

Para que la norma pueda cumplir el papel que le asigna el legislador, motivar determinadas conductas sociales, es condición necesaria la captación por parte de su destinatario del sentido del enunciado que la expresa. Si el destinatario no pudiera captar ese sentido, no podría ser motivado por la norma y, por consiguiente, no podría obedecerla ni aplicarla; si el sujeto ejecutara la conducta prescripta por un motivo diferente, no cabría hablar del acatamiento de la norma, sino de la mera coincidencia entre la prescripción de la acción y la ejecución de la misma (Alchourrón-Bulygin 1983, 15; Navarro 1990, 15 y ss.).

Es evidente que una de las razones por la que la determinación del significado de los enunciados contenidos en los textos legales presenta dificultades y supone en ocasiones una elección entre múltiples alternativas radica en la circunstancia de que raramente los términos y expresiones empleados son unívocos. En tal sentido, la actividad definitoria del legislador apunta, principalmente, a ofrecer un marco de mayor precisión terminológica, de manera que resulten menos variables las interpretaciones de un mismo enunciado y más seguras las expectativas de los destinatarios en función de la aplicación de la norma contenida en dicho enunciado (Iturralde 1989, 50).

La actividad consistente en la identificación o determinación del sentido de un enunciado contenido en un texto legal se denomina comúnmente "interpretación". Es sabido que el sentido de las expresiones depende del uso que se les da, y como éste puede variar de unos grupos de personas a otros y de una época a otra, sería ingenuo buscar *el* sentido de las expresiones, porque sería ingenuo creer que a cada expresión le corresponde *un* único sentido, el que podría ser captado o aprehendido mediante alguna forma de intuición intelectual. Esto no supone, obviamente, que una expresión no pueda tener un sentido más o menos determinado, o que no pueda tener un sentido determinable en un lenguaje dado; es posible, en principio, determinar con mayor o menor precisión el significado o sentido de una expresión dada en un contexto determinado, aunque tal tarea resulte por lo común difícil y compleja. Como en todo problema empírico, por cierto, no habrán métodos infalibles para obtener el resultado pretendido (Alchourrón-Bulygin 1983, 15).

6.3.2. Se afirma que los sistemas normativos contienen elementos que no son normativos (en el sentido de prescriptivos), pero que influyen en los efectos normativos de otros elementos componentes del sistema. Si bien tales elementos no son ellos mismos normativos, tienen relevancia normativa en conexión con otros elementos que sí son normativos. El caso más importante de estos elementos del sistema lo constituyen, probablemente, las definiciones (Alchourrón-Bulygin 1971, 107).

Imaginemos un conjunto integrado por tres elementos, una norma (prescriptiva) y dos definiciones: (N) Se prohibe el estacionamiento o la detención de vehículos en doble hilera; (D1) Se entiende por "detención" la acción mediante la cual se interrumpe el movimiento de traslación de un vehículo, con el motor en marcha y el conductor en su sitio; (D2) Se entiende por "estacionamiento" la acción mediante la cual un conductor ubica su vehículo en cierto lugar, apartándose de él. Dadas las definiciones anteriores, no estaría prohibida por N la acción de interrumpir el movimiento del vehículo en doble hilera, con el motor apagado y el conductor en su sitio, puesto que, de acuerdo con D1, tal acción no constituiría un caso de detención (el motor no se hallaría en marcha) y, de acuerdo con D2, no constituiría un caso de estacionamiento (el conductor estaría en su sitio). Tampoco estaría, por cierto, prohibida por N la acción de interrumpir el movimiento del vehículo, con el motor en marcha y el conductor fuera de su sitio pero dentro del vehículo o cerca de él, puesto que tal acción tampoco constituiría un caso de detención (el conductor no estaría en su sitio) o de estacionamiento (el conductor no estaría apartado del vehículo). Estos inconvenientes no se producen, es obvio, como consecuencia de la formulación de N, sino como consecuencia del alcance que ella posee en base a las definiciones de los términos "detención'" y "estacionamiento" introducidas por D1 y D2. Tal situación puede superarse reemplanzando D1 y D2, sin necesidad de modificar la formulación de N.

6.3.3. En efecto, se ha advertido que existen dos vías para modificar un sistema normativo: cambiando sus normas o cambiando las definiciones de los términos que aparecen en las formulaciones que las expresan. Ambos cambios pueden producir consecuencias equivalentes, lo que no resulta extraño, dado que, en definitiva, se trata en ambos casos del cambio de normas, por cuanto que, si con una definición D1 identificamos una norma N1, con una definición D2, distinta de D1, identificaremos una norma N2, también distinta de N1; identificadas normas diferentes mediante definiciones diferentes, la calificación normativa de ciertas conductas o estados de cosas resultará distinta en la mayoría de los casos. Cabe concluir, pues, que el legislador puede lograr la modificación del sistema de dos maneras muy distintas: mediante el cambio directo de la formulación de la norma o mediante el cambio del sentido (significado) de dicha formulación, sin modificar esta última, lo cual se logra modificando las definiciones de los términos que en ella se emplean (Alchourrón-Bulygin 1983, 29-30).

Consideremos un nuevo ejemplo. Mantengamos N y modifiquemos los sentidos de los términos en cuestión mediante las siguientes definiciones: (D3) Se entiende por "detención" la acción mediante la cual se interrumpe el movimiento de traslación de un vehículo durante el tiempo necesario para el ascenso o descenso de pasajeros; (D4) Se entiende por "estacionamiento" la acción mediante la cual se interrumpe el movimiento de traslación de un vehículo durante mayor tiempo que el necesario para el ascenso o descenso de pasajeros. Así, las definiciones D3 y D4 permiten superar las dificultades planteadas por D1 y D2 en su relación con N, puesto que, en conexión con D3 y D4, la norma N resuelve los casos antes mencionados y ello, simplemente, en base a que el alcance de las expresiones "detención" y "estacionamiento" ha quedado modificado. De más está insistir en señalar que la formulación de N no ha sufrido modificación alguna, pero el hecho de que el texto permanezca inalterado no implica que la norma no se modificara, puesto que, según hemos dicho, la norma no es un conjunto de símbolos lingüísticos desprovistos de significado, sino el sentido expresado por esos símbolos: las condiciones de identidad de una norma están dadas por la identidad del sentido y no por la identidad de su formulación lingüística. En conclusión, resultaría ingenuo pretender que la norma no ha cambiado o que sigue siendo la misma porque no ha cambiado su formulación (Alchourrón-Bulygin 1983, 19 y 30).

7

Competencia y normas de competencia

7.1. La noción de autoridad

7.1.1. El concepto de *autoridad* resulta, en numerosas ocasiones, potencial o efectivamente conflictivo. Esto es así, entre otras cosas, por la ambigüedad del vocablo "autoridad". Sucede que el término se utiliza ya con un *sentido normativo*, ya con un *sentido fáctico*: en un caso indica que alguien tiene una autorización para hacer algo y en otro que posee cierta aptitud para lograr que sus decisiones sean acatadas por otros. El sentido normativo presupone un sistema de reglas que determina quién se halla habilitado para ejecutar válidamente ciertos actos, adoptar legítimamente ciertas decisiones o hacer cierta clase de pronunciamientos. El sentido fáctico, en cambio, hace alusión a una situación de hecho que consiste, básicamente, en la influencia que ejerce un sujeto sobre la conducta de otros. Dicho en otros términos: el concepto de *autoridad* implica un conjunto de reglas que determinan quién está habilitado para emitir determinadas prescripciones, su forma y contenido, o bien hace referencia a un estado de cosas en el cual un sujeto consigue imponer, de alguna forma, sus decisiones a otros, influyendo en su conducta.

Con base en lo anterior, formularé las siguientes definiciones para marcar la distinción:

(1) *Autoridad en sentido fáctico.* A es autoridad respecto de un sujeto S si, y sólo si, A consigue que S cumpla las prescripciones dictadas por él.

(2) *Autoridad en sentido normativo.* A es autoridad respecto de un sujeto S si, y sólo si, A está habilitado (autorizado) por un conjunto de normas C para dictar (o derogar) prescripciones dirigidas a S.

Ambas nociones comparten un par de rasgos comunes: las prescripciones tienen su origen en la voluntad de la autoridad y van dirigidas a algún agente para que adopte cierta conducta. En términos generales, las prescripciones son órdenes o permisos dados por alguien desde una posición de autoridad a alguien en una posición de sujeto destinatario: la autoridad ordena, prohibe o permite a determinados sujetos hacer determinadas cosas en determinadas ocasiones. La autoridad de una prescripción es, pues, el agente que da o emite la prescripción. Al llamar a la autoridad "agente", quiere indicarse que las prescripciones se producen como resultado de una acción específica, una acción normativa (von Wright 1963, 91).

Por supuesto, muchas de las autoridades en sentido fáctico son tales en base a que detentan autoridad en sentido normativo. También sucede con frecuencia que las autoridades en sentido normativo son, además, autoridades en sentido fáctico. Sin embargo, entre una forma y otra no existe una conexión necesaria y bien puede darse el caso de alguien que sea autoridad en sentido normativo y no sea autoridad en sentido fáctico, o viceversa. Reducido el margen de eventuales confusiones, limitaré la discusión al caso de las autoridades en sentido normativo y, en particular, al de las autoridades jurídicas. Por cierto, es obvio que existe una conexión necesaria entre la noción de autoridad sentido normativo y la de competencia.

7.1.2. Se ha acuñado la expresión "relación normativa" para hacer referencia al vínculo existente entre el *emisor* de una norma y su *destinatario* (von Wright 1963, 132). Esto supone que las normas tienen su origen en la voluntad de un agente emisor y que van dirigidas a algún agente para que adopte un determinado curso de acción. De este modo, las normas consisten en directivas dadas por alguien que se halla en posición de *autoridad* a otro que se encuentra en situación de *sujeto destinatario*.

En opinión de algunos, *mandar* consiste en conseguir que los agentes hagan o se abstengan de hacer aquellas cosas que se pretende que ellos realicen u omitan (von Wright 1963, 135). Cuando el que manda puede castigar efectivamente al mandado en caso de desobediencia, se dice que el primero es, en ese sentido, más fuerte que el segundo. Esto supone que mandar es posible solamente cuando la autoridad es más fuerte que el sujeto destinatario del mandato, de modo que la habilidad de mandar se funda así lógicamente en una fuerza superior del que manda sobre el mandado (von Wright 1963, 141).

Aunque este modo de concebir a la autoridad normativa a partir de la noción de *superioridad física* parece razonable en muchos casos, existen importantes razones, sin embargo, para objetarla, al menos como criterio general de identificación de autoridades jurídicas. Esto es así por cuanto que puede darse el caso de que la autoridad y los sujetos no sean contemporáneos o, incluso, que los sujetos destinatarios sean inexistentes o indeterminados. Bien puede ocurrir que no haya momento alguno en que coincidiesen la autoridad que dictó la norma y el sujeto a quien se aplica, lo que impediría por completo hablar de una relación de superioridad física. Puede suceder, además, que la autoridad no tenga la pretendida superioridad física respecto de los sujetos destinatarios. Consiguientemente, aunque el poder fáctico resulta importante, desde algún punto de vista, parece no ser suficiente ni necesario para explicar la noción de *autoridad jurídica*, que no es sino una subclase de la categoría general de las autoridades normativas (Alchourrón-Bulygin 1991, 76-7).

Un modo alternativo de interpretar la relación entre la autoridad y los sujetos consiste en reemplazar la noción de *superioridad física* por el concepto normativo de *competencia*. Desde este punto de vista, una autoridad normativa será *competente* para dictar una norma cuando el acto de dictar la norma en cuestión esté autorizado por otra norma dentro de un sistema. Así, de una norma dictada por una autoridad competente se dirá que es *válida* y la validez de una norma dependerá de la legalidad del acto de su creación. De acuerdo con esta concepción, si una autoridad A tiene *competencia* para producir efectos respecto de un sujeto S mediante un acto normativo, entonces S se halla en estado de *sujeción* frente a A, en el sentido de que la situación de S se verá modificada por los efectos del acto de A. Por el contrario, si el sujeto S tiene respecto de la autoridad A una situación de *inmunidad* en relación a los efectos del posible acto normativo de A, entonces A se halla en situación de *incompetencia* para alterar la situación de S mediante tal acto (Hohfeld 1964, 68).

La identificación de autoridades jurídicas, pues, no puede llevarse a cabo sino recurriendo a normas jurídicas: autoridades normativas de derecho son los individuos nombrados por un procedimiento previsto en el propio sistema jurídico con poder para ejecutar actos normativos, esto es, actos de promulgación y derogación de normas. Toda propuesta que prescinda de normas jurídicas válidas en la identificación de autoridades de derecho se halla irremediablemente destinada al fracaso. En general, salvo excepciones, esta idea parece gozar de aceptación (véase Nino 1980, 128). En otros términos, no hay autoridades jurídicas que no sean establecidas por normas jurídicas, y la identificación de tales autoridades solamente puede llevarse a cabo recurriendo a aquéllas normas: una autoridad jurídica es tal cuando existe una norma válida en el sistema jurídico en cuestión que le atribuye competencia para ejecutar actos jurídicos con efectos sobre terceros.

7.2. La noción de juez

7.2.1. La caracterización de los jueces propuesta por Nino elude por completo la pretendida remisión a normas de competencia y se basa en determinadas circunstancias fácticas. Según Nino, cabe caracterizar a los jueces ("órganos primarios", de acuerdo con su terminología) como "los que *de hecho pueden* (en el sentido fáctico y no normativo de la palabra 'poder') determinar el ejercicio del monopolio coactivo estatal en casos particulares, o sea, quienes están efectivamente en condiciones de disponer que se ponga en movimiento el aparato coactivo del Estado" (Nino 1980, 128).

A pesar del intento de Nino por caracterizar la noción de *juez* sin alusión a términos normativos, ella parece fracasar al incluir expresiones como "determinar el ejercicio del monopolio coactivo estatal", "aparato coactivo del Estado", entre otros (v.gr. "determinar", "Estado" y "monopolio"). Así, lo que parece una definición en términos puramente fácticos no pasa de ser una mera ilusión. En cualquier caso, la acción de juzgar es, desde luego, una acción institucional y, por consiguiente, debe ser descrita en base a determinadas normas.

7.2.2. Por otro lado, la caracterización alternativa propuesta por MacCormick no se basa en normas de competencia sino en normas de deber. La definición de "función judicial" que propone MacCormick especifica lo siguiente: "La función judicial es la función de toda persona o personas o grupo de personas o grupo organizado de grupos de personas, y de toda persona que pertenezca a tal(es) grupo(s) que por alguna razón: a) tienen el deber de juzgar sobre cualquier reclamación, disputada o disputable, de acción incorrecta que se presente ante ellos, con o sin límites en cuanto a la materia; b) tienen el deber de formular su juicio por referencia a estándares de conducta correcta o incorrecta, cuya existencia como estándares no está determinada por su propia elección o decisión presente, excepto en la medida en que, en la justificación de su decisión, deban interpretar o expandir los estándares existentes; c) tienen el monopolio sobre el uso justificado de la fuerza en una sociedad humana, en virtud de los estándares prevalecientes en esa sociedad" (MacCormick 1981, 113).

Definir la función judicial en base al deber de juzgar es algo que, desde luego, puede hacerse, pero es dudoso que resulte necesario, desde que nada impide definir aquélla noción en base al permiso de juzgar: nada extraño habría en la idea de un juez que no tuviera la obligación de juzgar, sino un permiso para hacerlo; lo único verdaderamente extraño para el sentido usual de la expresión "función judicial" sería que, quien la ejerciera, no pudiese juzgar (Alchourrón-Bulygin 1971, 209). Es verdad, sin embargo, que habitualmente los jueces tienen el deber (contingente) de juzgar, pero de ello no se sigue que deba incluirse la obligatoriedad de juzgar como rasgo (necesario) de la función judicial. En mi opinión, el rasgo central de la función judicial se halla en la tercera característica señalada por MacCormick (nota c), pues en ella se da cuenta implícita de la idea de *poder normativo o competencia*. Parece inaceptable, desde luego, la caracterización de la función judicial sin alusión directa o indirecta a la competencia para juzgar las cuestiones sometidas. Los conceptos de *juez y función judicial,* en definitiva, no pueden ser adecuadamente caracterizados sólo en términos de normas que prescriben deberes: no parece posible caracterizar adecuadamente la función judicial sin hacer referencia a las competencias que se asignan a los jueces en la tramitación y resolución de los procesos.

7.2.3. La caracterización de Ruiz Manero, por otro lado, toma como criterio básico el reconocimiento social de los jueces. Al respecto dice: "son jueces aquellas personas (o grupos de personas, etcétera) a quienes, en virtud de reglas sociales aceptadas, se considera titulares de los deberes y poderes normativos que definen el rol de juez: el deber de decidir los casos que se presentan ante ellos, el deber de hacerlo sobre la base de estándares o reglas preexistentes y el poder de decidir tales casos con carácter obligatorio. O, dicho en términos más simples, son jueces aquellos que son reconocidos socialmente como tales, esto es, como titulares de los deberes y poderes normativos que definen el rol judicial" (Ruiz Manero 1990, 133).

Se ha advertido que la propuesta de Ruiz Manero es teóricamente inadecuada, puesto que, por un lado, para determinar institucionalmente quiénes son jueces de un sistema jurídico determinado, sus destinatarios recurren invariablemente a determinadas normas jurídicas del sistema y no a ciertas reglas sociales; y, por otro lado, como las reglas sociales a las que recurre Ruiz Manero para identificar a los jueces no son normas del sistema jurídico, su definición resulta ser extrasistemática, cosa que él reconoce abiertamente (Bulygin 1991, 275-8; Ruiz Manero 1990, 133). Ninguna de estas dificultades se plantea si se admite que la identificación de los jueces debe hacerse en base a normas jurídicas válidas de competencia que los habilitan para decidir, en carácter de autoridades de derecho, las cuestiones que se les someten como controversias.

7.2.4. Lo que podría hacerse con provecho es ampliar el marco de caracterización de los jueces, considerando ciertas categorías básicas. No parece del todo adecuado caracterizar la función judicial sin hacer referencia a un conjunto de modalidades jurídicas específicas en relación a la función judicial, más aún considerando que el conjunto de dichas modalidades superpuestas no es reducible a una parte de ellas. En buena medida, los errores en la caracterización de la función de los jueces se originan en la omisión de algunas de esas modalidades, o en la asignación de un lugar especial a algunas de ellas a expensas de otras, o bien en la insistencia de pretender examinar una modalidad fuera del contexto que le proporciona la concomitante presencia de las otras (Carrió 1986, 40). Las modalidades jurídicas que configuran típicamente la función de los jueces en un orden desarrollado son las siguientes: competencias, potestades, inmunidades, sujeciones y deberes. En los estados modernos hay un conjunto de normas jurídicas que confieren a sus jueces potestades o competencias, establecen limitaciones o incompetencias (que excluyen ciertos ámbitos de las potestades o competencias), prescriben determinados deberes (activos y pasivos), otorgan ciertas inmunidades e imponen determinadas sujeciones. Otras modalidades, como los derechos y las libertades, que desempeñan un papel importante en el ámbito de las relaciones privadas, no cumplen igual papel cuando se trata de representar una función regida por el derecho público, como ocurre en el caso de los jueces (Carrió 1986, 41-2). No existe razón de peso, sin embargo, para no incluir estas modalidades faltantes en la caracterización de los jueces, de modo a presentarla en forma exhaustiva.

7.3. Concepciones de las normas de competencia

7.3.1. Tampoco hay acuerdo entre los teóricos del derecho acerca del carácter de las normas de competencia. Algunos de ellos consideran que estas normas son genuinas normas de conducta, esto es, normas que prescriben que algo debe o puede ser (o hacerse). Pero incluso los autores que defienden este punto de vista discrepan en cuanto a la cuestión de si las normas de competencia son normas imperativas (que establecen obligaciones) o permisivas. Otros, en cambio, sostienen que tales normas no son asimilables a normas reguladoras de conducta, sino que actúan más bien como definitorias de ciertas prácticas sociales o como disposiciones que otorgan una calificación determinada a ciertas entidades. Un análisis cuidadoso de la literatura especializada permite detectar posiciones muy dispares que, en síntesis, podrían agruparse del siguiente modo (Mendonca 1992; Spaak 1994; Ferrer 2000): *fragmentos de normas* (Kelsen), *normas de obligación indirecta* (Ross, Nino), *normas permisivas* (von Wright), *reglas definitorias* (Hart, Bulygin), *normas constitutivas* (Ross) y *disposiciones cualificatorias* (Hernández Marín). Estas concepciones podrían ser reducidas a dos: *prescriptivistas* y *no prescriptivistas*; entre las concepciones componentes del primer grupo (concepciones 1, 2 y 3) habrían diferencias importantes, mientras que entre las componentes del segundo (concepciones 4, 5 y 6) las diferencias serían más bien de matices.

(1) *Fragmentos de normas*. Según Kelsen, "las normas que facultan una determinada conducta son normas no independientes, mientras se entienda por 'facultar' otorgar a un individuo un poder jurídico, es decir, conferirle el poder de producir normas jurídicas, puesto que sólo determinan una de las condiciones a las cuales, una norma independiente, enlaza el acto coactivo" (Kelsen 1960, 68-9). De este modo, las normas de competencia no son, de acuerdo con la perspectiva kelseniana, auténticas normas jurídicas sino fragmentos de normas o normas no independientes.

(2) *Normas de obligación indirecta*. Ross ha defendido la tesis de que las normas de competencia son reducibles a normas de conducta, puesto que tanto unas como otras deben interpretarse como directivas dirigidas a los jueces y más precisamente como "directivas que disponen que las normas que se creen de conformidad con un modo establecido de procedimiento serán consideradas normas de conducta" (Ross 1958, 32-3); "las normas de competencia hacen que sea obligatorio actuar de acuerdo con las normas de conducta que han sido creadas según el procedimiento establecido en las primeras" (Ross 1958, 113). No hace mucho esta tesis fue reiterada por Nino (Nino 1986, 48).

(3) *Normas permisivas*. Este modo de interpretar las normas de competencia fue sugerido por von Wright. Las normas de competencia son en su teoría normas permisivas de orden superior, es decir, normas que permiten dictar o derogar normas

(von Wright 1963, 198). Estas permisiones de orden superior pueden combinarse, naturalmente, con órdenes o mandatos de dictar normas acerca de cierto tipo de actos. Los límites del poder delegado son frecuentemente fijados mediante prohibiciones: la autoridad puede dictar normas de cierto tipo, pero no debe dictar normas de otras clases. Las normas de competencia, sin embargo, no deben confundirse con tales mandatos.

(4) *Normas definitorias.* Hart ha insistido en que las normas de competencia, o reglas que confieren potestades según su terminología, no son reducibles al esquema general de las normas que imponen obligaciones o prohibiciones. Según Hart, las normas de competencia no exigen determinadas conductas, sino que definen las formas como se ejecutan actos válidos o las condiciones y los límites dentro de los cuales son válidas las decisiones de autoridad (Hart 1961, 35 y ss). El incumplimiento de tales normas no acarrea una sanción o castigo, sino la nulidad del acto, puesto que su quebrantamiento no constituye una infracción o un delito. Cuando no se cumplen las condiciones estipuladas en la norma, el resultado es la nulidad del acto, es decir, el fracaso en el empeño de producir los efectos jurídicos deseados. En un estudio esclarecedor, Bulygin ha manifestado su adhesión a esta concepción (Bulygin 1989, 3 y ss).

(5) *Normas constitutivas.* De acuerdo con una tesis alternativa defendida por Ross, cabe distinguir entre reglas regulativas y constitutivas: las primeras son aquellas que prescriben ciertos tipos de conducta y las segundas aquellas que crean ciertos tipos de conductas. Ross explica que algunas de estas reglas constitutivas resultan de gran importancia para la vida de una comunidad y señala: "un acto jurídico es una declaración que (normalmente) produce, en virtud de reglas jurídicas constitutivas, ciertos efectos jurídicos de acuerdo con su contenido" de modo tal que "testar, legislar, fallar un caso, hacer una resolución no son actos naturales; son actos jurídicos, sólo concebibles como constituidos por las reglas jurídicas (Ross 1968, 60). A esto agrega Ross, de manera expresa, que las normas de competencia pertenecen al grupo de las normas constitutivas (Ross 1968, 123).

(6) *Disposiciones cualificatorias.* Hernández Marín ha sostenido que las expresiones del tipo "El órgano O tiene competencia

para regular la materia M" son disposiciones que califican como jurídicas o pertenecientes al derecho todas las oraciones (enunciados) que tengan la propiedad de proceder del órgano O, con arreglo al procedimiento P y sobre la materia M. Por tanto, lo que una norma de competencia califica son disposiciones, y la calificación otorgada por una norma de competencia a las disposiciones a que se refiere es la de ser válida o jurídica o perteneciente al derecho (Hernández Marín 1984, 40 y 1989, 162).

A pesar de esta significativa falta de concordancia teórica sobre el estatus de las normas de competencia, en definitiva, parece haber un importante punto de contacto: el concepto de *competencia* alude, inexcusablemente, a la existencia de disposiciones que estipulan ciertos poderes a favor de determinadas autoridades de derecho.

7.3.2. Vistas de este modo, las normas de competencia tienen por función atribuir poder a una autoridad para ejecutar determinados actos de derecho sobre ciertas materias y de conformidad con ciertos procedimientos. Por consiguiente, la validez de los actos de autoridad depende de la sujeción por su parte a los límites personales, procesales y materiales fijados por tales normas y cualquier extralimitación en alguno de esos aspectos acarrea la nulidad de los actos en cuestión. Antes he asociado las normas de competencia a las denominadas "normas constitutivas", vinculadas, a su vez, a las expresiones realizativas (ver 2.1.). Ha llegado el momento de ser algo más explícito.

Las normas de competencia adoptan, por lo común, formas como "La autoridad A es competente para ejecutar el acto X", o "La ejecución del acto X es atribución de la autoridad A". En mi opinión, oraciones como las anteriores pueden ser adecuadamente reconstruidas como oraciones realizativas (operativas o performativas), en el sentido de que pronunciarlas es llevar a cabo una acción: *autorizar, habilitar, conferir poder* o *atribuir competencia* a una autoridad determinada para ejecutar cierto acto (o cierto tipo de acto). La palabra "realizativa" deriva, por supuesto, de "realizar" (verbo que usualmente se antepone al sustantivo "acción") e indica que emitir la oración es realizar una acción que no se concibe normalmente como un mero "decir algo" (Austin 1962, 47). Más específicamente, en mi opinión, verbos como "autorizar", "habilitar" y otros conexos se corresponden, en función de la división tradicional de los verbos propuesta por Austin, con la categoría de los ejercitativos, verbos cuyo rasgo principal radica en el ejercicio de potestades o derechos (Austin 1962, 199). Decía Austin: "Un ejercitativo consiste en tomar una decisión en favor o en contra de cierta línea de conducta, o abogar por ella. Es decidir que algo tiene que ser así, como cosa distinta de juzgar que algo es así. Sus consecuencias pueden ser que otros sean 'compelidos", o 'autorizados' o 'no autorizados' a hacer ciertos actos" (Austin 1962, 203). La categoría de los ejercitativos es muy amplia e incluye ejemplos como: "designar", "nombrar" "destituir", "autorizar", "facultar", "conceder", "fallar", "revocar", "promulgar", "invalidar", "rechazar", "vetar" y "votar" (Austin 1962, 203-5).

Normas de competencia con la forma indicada pueden verse frecuentemente ejemplificadas en la legislación. Así, el artículo 161.1 de la Constitución española dispone: "El Tribunal Constitucional tiene jurisdicción en todo el territorio español y es competente para conocer: a), b), c) d)". La misma forma puede verse también en la legislación ordinaria (v.gr. artículos 14, 220 y 828 de la Ley de Enjuiciamiento Criminal española).

En la teoría tradicional de los actos lingüísticos, entre los que cuenta otorgar competencia (autorizar o conferir poder), existen ciertas condiciones necesarias que deben satisfacerse para que se produzcan los efectos pretendidos: (1) debe existir un procedimiento aceptado que posea cierto efecto convencional; dicho procedimiento debe incluir la emisión de ciertas palabras por parte de ciertas personas en ciertas circunstancias (2) las personas y circunstancias particulares deben ser apropiadas para recurrir al procedimiento que se emplea (3) el procedimiento debe seguirse por todos los participantes en forma correcta y completa; (4) si el procedimiento requiere que quienes lo usan tengan ciertas intenciones (creencias o sentimientos), o está dirigido a que sobrevenga cierta conducta correspondiente de algún participante, entonces quien participa en él y recurre al procedimiento debe tener en los hechos tales intenciones (creencias o sentimientos), o los participantes deben estar animados por el propósito de conducirse de la manera adecuada, y, además (5) los participantes deben comportarse en su oportunidad, efectivamente, del modo indicado (Austin 1962,

56). En todos los casos en que los actos lingüísticos se hallan formalizados (como ocurre con los actos jurídicos, en general, y con la atribución de competencia, en particular), debe atenderse al seguimiento de ciertas reglas o convenciones como condiciones de éxito o eficacia de cada acto (MacCormick-Bankowsky 1991, 229). Y en todos los casos en que ello ocurra, se dará cierto resultado estándar como consecuencia del acto, esto es, atribuir competencia, habilitar, conferir poder.

Existe una concepción de las instituciones jurídicas elaborada en relación directa con esta teoría. Según ella, la reconstrucción conceptual de toda institución jurídica debería considerar una tríada de reglas relacionadas entre sí: (1) reglas que establecen qué persona, con qué calificación, por qué acto y con qué intenciones puede, siguiendo qué procedimiento, requeridas qué circunstancias y en ausencia de qué condiciones de regularidad, instruir una institución determinada (como otorgar competencia, celebrar un contrato, contraer matrimonio o hacer un testamento) (2) reglas que establecen cuáles son los efectos del acto, precisando qué cosas deben o pueden ser hechas y quién está autorizado, obligado o facultado a hacerlas, dada la existencia de un caso concreto (3) reglas que establecen el plazo de duración de tales efectos (competencia, contrato, matrimonio o sucesión) (MacCormick-Bankowsky 1991, 231). En mi opinión, esta teoría permite explicar adecuadamente la estructura compleja de la actividad de otorgar competencia o atribuir poder.

7.4. Límites de la autoridad

Conviene poner de manifiesto que la competencia de una autoridad debe ser claramente distinguida tanto de la facultad de ejercerla, como del deber de hacerlo según ciertas reglas. Sucede que, además de disposiciones que confieren poder, se dirigen a las autoridades determinadas normas reguladoras de conducta en virtud de las cuales deben ejecutar ciertos actos y abstenerse de otros. Al atribuir competencia a una autoridad determinada, las normas de competencia establecen las condiciones y los límites bajo los cuales los actos ejecutados por dicha autoridad serán reputados válidos. Al imponer prohibiciones, en cambio, se pretende limitar a la autoridad impidiéndole llevar a cabo ciertas acciones que se consideran disvaliosas, desde algún punto de vista. Esta distinción se oculta muchas veces tras la ambigüedad del término "límite": en un caso presupone la *existencia de prohibiciones* y en otro la *ausencia de potestad* jurídica o *incompetencias*.

(1) *Límite como prohibición.* La autoridad de A se halla limitada si A tiene prohibido ejecutar el conjunto de actos C.

(2) *Límite como incompetencia.* La autoridad de A se halla limitada si A carece de competencia para ejecutar el conjunto de actos C.

Esta distinción es valiosa por cuanto que exceder las normas de competencia produce la *invalidez* de lo actuado; violar las normas prescriptivas, en cambio, genera *responsabilidad* del agente, sin afectar al acto en cuestión. Desafortunadamente, como no siempre las disposiciones legales están cuidadosamente concebidas y formuladas, no en todos los casos es fácil decidir si una disposición dada tiene el carácter y la función de una norma de competencia o de una norma de conducta. Ello hace que no pueda determinarse con precisión, en muchas ocasiones, si su quebrantamiento generará la invalidez del acto o responsabilidad (política, civil o penal) de la autoridad.

Numerosos teóricos han insistido, por cierto, en trazar y mantener esta distinción (Hart 1982, 241; Dworkin 1977, 501; Alexy 1986, 229; Bulygin 1989). Hart, por ejemplo, ha señalado: "Es por supuesto verdad que muy a menudo aquello que ha sido hecho válidamente (...) es el resultado de un acto jurídicamente permitido. Es también cierto que a menudo aquello que ha sido hecho válidamente puede ser consecuencia de un acto jurídicamente prohibido. Pero las dos nociones pueden estar separadas, y muchas veces es así" (Hart 1982, 241).

En resumen: al considerar los límites de la autoridad, es necesario distinguir dos tipos de restricciones: prohibiciones e incompetencias. En virtud de las primeras, la autoridad debe abstenerse de ejecutar ciertos actos previstos en normas de conducta, bajo responsabilidad personal por lo actuado en contravención de tales normas. Es necesario considerar, por otro lado, que toda competencia deriva de normas que, al otorgar atribuciones a una autoridad para ejecutar ciertos actos, excluyen, al mismo tiempo, todos aquellos otros para los cuales no concede competencia. Consiguientemente, estas limitaciones (incompetencias) determinan la nulidad de los actos ejecutados fuera de los límites de una autoridad. No es infrecuente, sin embargo, que los sistemas jurídicos superpongan estas limitaciones (prohibición e incompetencia) y sus respectivas consecuencias (responsabilidad y nulidad), aunque ello resulta, desde luego, puramente contingente.

8

Promulgación
y derogación de normas

8.1. Dinámica de los sistemas normativos

8.1.1. La idea de que el derecho no es un mero conglomerado
de normas, sino que constituye un conjunto sistemático, se
halla muy difundida entre los juristas, en particular desde el
siglo XIX. Sin embargo, poco se hizo en la teoría del derecho
para esclarecer esta idea hasta muy avanzado el siglo XX.
La noción de *sistema normativo* fue elucidada en forma
acabada por Alchourrón-Bulygin (1971), a partir de las nociones de Tarski de *sistema deductivo* y *sistema axiomático*. Según Tarski, un sistema deductivo es un conjunto finito de
enunciados (expresiones lingüísticas interpretadas) que contienen todas sus consecuencias lógicas y un sistema axiomático es la totalidad de las consecuencias lógicas de un conjunto
finito de enunciados. Sobre esa base, de acuerdo con la explicación de Alchourrón-Bulygin, cuando entre las consecuencias
lógicas de un conjunto de enunciados existe alguna norma,
puede decirse que ese conjunto tiene consecuencias normativas. Por consiguiente, un conjunto (sistema) normativo es un
conjunto (sistema) de enunciados en cuyas consecuencias hay
alguna consecuencia normativa. Según la definición, pues, un
sistema normativo no deja de ser tal por el hecho de que hayan en él enunciados no normativos, ni se excluye la posibilidad

de que la mayor parte, y aún todos, los enunciados pertenecientes a un sistema normativo sean normas. Con esta reserva, y por razones de brevedad, hablaremos en lo sucesivo, sin embargo, de normas.

La distinción corriente entre *axiomas* y *teoremas* de un sistema axiomático, según vimos, se ve reflejada en un sistema normativo en la distinción entre *normas formuladas* y *normas derivadas* (ver 3.3.). El principio general es que si una norma o conjunto de normas pertenece a un sistema, entonces toda norma que sea su consecuencia lógica también pertenece al sistema. Esto supone que en un sistema normativo ciertas normas pertenecerán a él habiendo sido expresamente promulgadas y otras como consecuencia lógica de aquéllas. Las primeras serán denominadas, de acuerdo con lo anticipado, "normas formuladas" y las segundas "normas derivadas".

8.1.2. Es bien sabido que los sistemas jurídicos son dinámicos, lo que significa que están sujetos a permanentes cambios en el transcurso del tiempo. En la época moderna, la legislación es, sin dudas, la más importante fuente del derecho, al menos en países con tradición romanista. Ella consiste, básicamente, en la ejecución de actos de promulgación y derogación de normas jurídicas. Es así que resulta ampliamente aceptado que la legislación es el principal factor de cambios jurídicos y que la tarea propia de las autoridades legislativas es modificar los sistemas jurídicos.

La *modificación* de un conjunto normativo se produce cuando se realizan cambios consistentes en su contracción, su expansión o su revisión (Alchourrón 1988). Existe *expansión* de un conjunto de normas cuando se agrega (por lo menos) una norma a ese conjunto; existe *contracción* de un conjunto de normas cuando se elimina (por lo menos) una norma de ese conjunto; existe *revisión* de un conjunto de normas cuando se expande una contracción, es decir, cuando se elimina (por lo menos) una norma de ese conjunto y se agrega a él otra norma, incompatible con la eliminada. Claro está que si un sistema normativo es definido como un conjunto de normas, cualquier cambio en ese conjunto nos lleva a otro sistema, distinto del anterior.

Todo esto puede ser ejemplificado como sigue a continuación. Para empezar, supongamos que un sistema S1 se halla conformado por las normas N1, N2 y N3 y que en un tiempo t1 se produce la derogación de N3; esto provoca la contracción del conjunto inicial y el paso a un sistema S2, distinto del anterior. Supongamos ahora que el sistema S2 sufre una modificación a consecuencia de la promulgación de la norma N4 en un tiempo t2; esto genera la expansión de S2 y el paso a un nuevo sistema, el sistema S3. Supongamos finalmente que el sistema S3 sufre una modificación consistente en la derogación de la norma N2 y la promulgación en su reemplazo de la norma N5, incompatible con la anterior; esto opera la revisión del sistema S3 y la aparición de un nuevo sistema, el sistema S4.

De este modo, cada sistema tiene una duración diferente (más o menos larga) y una ubicación temporal distinta: S1 comprende el tiempo t0-t1, S2 el tiempo t1-t2, S3 el tiempo t2-t3 y S4 el tiempo t3-t4. Cada tiempo relevante (t1, t2, t3 y t4) marca el momento en que se produce alguna modificación en los conjuntos considerados, ya sea por la promulgación, la derogación o la promulgación y la derogación (al mismo tiempo) de normas. Así, t1 marca el momento en que se produce la contracción de S1; t2 marca el momento en que se produce la expansión de S2 y t3 marca el momento en que se produce la revisión de S3.

8.2. Actos normativos

8.2.1. La noción de *acto normativo* requiere algunas precisiones, por cuanto que las expresiones "promulgación" y "derogación" son ambiguas. En ciertos contextos se emplea el término "promulgación" para dar cuenta del fénomeno de dictar una norma, crear una norma, normar o prescribir, cuando que, en otros, es sinónimo de incluir o agregar una norma a un conjunto o sistema normativo. Cosa similar ocurre con la expresión "derogación": en ciertos casos derogar equivale a privar de existencia a una norma y en otros a sustraer una norma de un conjunto o sistema normativo. Las dos primeras acepciones, en cada caso, se relacionan con la noción de *existencia* de normas y las dos últimas con la de *validez* (Mendonca 1993). En este capítulo se considerará la noción de acto normativo en función de la noción de validez, en el sentido de pertenencia de una norma a un sistema jurídico.

Cabe acotar que el término "validez", tal como se usa en el lenguaje jurídico, en general, y en el filosófico, en particular, es ambiguo y, por tanto, es posible distinguir varios significados de la expresión "La norma N es válida", cada uno de ellos basado en un concepto distinto de *validez* (Bulygin 1982, 1990), a saber:

(1) *Validez como pertenencia.* Se puede decir que una norma es válida en el sentido de que pertenece a un sistema jurídico. Este concepto de validez es *descriptivo*, porque la oración "N es válida" es una proposición descriptiva y no una norma. Además, es un concepto *relativo*, por cuanto hace referencia a una relación entre una norma y un sistema normativo: la misma norma puede ser pertenecer a un sistema y no pertenecer a un sistema diferente.

(2) *Validez como obligatoriedad.* A menudo se dice también que una norma es válida en el sentido de que es obligatoria o tiene fuerza vinculante. Esto, a su vez, puede tener dos usos diferentes: puede expresar una prescripción de obedecer y aplicar la norma en cuestión o una proposición que informa acerca de la norma, a saber, que es obligatoria de acuerdo a alguna otra norma. En el primer caso, tenemos un concepto *normativo* de validez. Este concepto no es relativo sino *absoluto*. En este sentido, decir que una norma es válida es prescribir que ella debe ser obedecida y aplicada; por lo tanto, de acuerdo con este sentido, la oración "N es válida" no expresa una proposición sino una prescripción, una norma.

(3) *Validez como aplicabilidad.* Desde otro punto de vista, se sostiene que si existe una norma que prescribe el deber de aplicar otra norma a un caso determinado, entonces cabe decir que la segunda es válida, en el sentido de que debe ser aplicada conforme a la primera. Este concepto de validez es también *relativo*, pero se trata de una relación triádica entre dos normas y un caso específico: la norma N1 prescribe que la norma N2 debe ser aplicada al caso C. Y se trata también de un concepto *descriptivo*, pues decir que una norma es válida, en este sentido, no es dictar una prescripción, sino afirmar la existencia de una prescripción de acuerdo con la cual la norma en

cuestión debe ser aplicada a un cierto caso. En este contexto, la oración "N es válida" expresa una proposición, una proposición normativa.

El análisis siguiente de los actos normativos de promulgación y derogación de normas se centra en la acepción (1) de validez (validez como pertenencia). Por cierto, los términos "promulgación" y "derogación" padecen de la ambigüedad de proceso-producto y aluden, por consiguiente, tanto a las acciones de promulgar y derogar como a sus efectos respectivos. Consideraré ambas aspectos en lo sucesivo.

8.2.2. Los actos de promulgar y derogar normas son, esencialmente, actos *lingüísticos*, *operativos* e *institucionales*. Estos son actos que se realizan con palabras, al menos en los sistemas jurídicos avanzados, y, hasta donde consigo entender, sólo pueden ejecutarse con palabras. Como acciones lingüísticas destinadas a adicionar o sustraer normas de sistemas, bien pueden ser consideradas acciones operativas, ya que su función es producir el paso de un estado de cosas a otro: la acción de promulgar produce el paso de un estado de cosas en que una norma N no pertenece a un sistema S, a otro en que N pertenece a S; la acción de derogar, por el contrario, produce el paso de un estado de cosas en que una norma N pertenece a un sistema S, a otro en que N no pertenece a S. Dichos actos son, además, esencialmente institucionales, ya que pertenecen al grupo de los que no puede dejar de estar gobernados por reglas: la existencia misma de estos actos depende de las reglas que los constituyen y presupone la presencia de ciertas instituciones sociales.

La idea de que los actos normativos son actos lingüísticos ya fue claramente advertida por von Wright: "La actividad característica de los actos normativos es la actividad *verbal*. Consiste en el uso de formulaciones de norma para enunciar o, como también solemos decir, para *promulgar* la norma (prescripción) para los sujetos apropiados" (von Wright 1963, 131); añadiendo que "además de los actos que consisten en dar prescripciones hay otro tipo de acto, que llamaré también normativos, a saber: los actos de cancelar (anular, retirar) prescripciones" (von Wright 1963, 196).

El análisis de estos actos exige, pues, en tanto actos lingüísticos, la consideración de tres actos (o tres aspectos de un mismo acto) diferentes y conexos: (1) el *acto locucionario*, que es el acto de decir algo (2) el *acto ilocucionario*, que es el acto llevado a cabo al decir algo, y (3) el *acto perlocucionario*, que es el acto llevado a cabo porque se dijo algo (Austin 1962, 138 y ss). De este modo, los actos de promulgación y derogación por parte de una autoridad A pueden ser reconstruidos tal como sigue:

(1) A *dijo*: "Promulgo la norma N"
(2) A *promulgó* la norma N
(3) A *adicionó* la norma N al sistema S

(1) A *dijo*: "Derogo la norma N"
(2) A *derogó* la norma N
(3) A *sustrajo* la norma N del sistema S

En síntesis: promulgar y derogar son actos que se realizan con palabras en el marco de ciertas instituciones sociales con el propósito básico de adicionar o sustraer normas de sistemas. La doctrina ha discutido seriamente, sin embargo, efectos adicionales de los actos normativos, en general, y de los actos derogatorios, en particular, efectos relacionados, por ejemplo, con la fuerza vinculante o la aplicabilidad de las normas (Díez-Picazo 1990, 161-173). La producción de tales efectos es, desde luego, cuestión contingente, sometida a la regulación específica de cada sistema. Consideremos con mayor cuidado el efecto de estos actos.

8.3. Adición y sustracción de normas

8.3.1. Sea C un conjunto de *normas expresamente formuladas* por la autoridad integrado de la siguiente manera (en este contexto utilizo la expresión "norma" en un sentido muy amplio):

(N1) "Madrid es la capital de España y sede del Gobierno" y
(N2) "El presidente del Gobierno residirá en la capital".

Ahora bien, de N1 se infieren lógicamente las siguientes normas (N1 es, en rigor, una norma compuesta por la conjunción de N3 y N4; consiguientemente, N1 podría representarse como N3&N4 pero, por razones de simplicidad, evitaré esta representación):

(N3) "Madrid es la capital de España" y
(N4) "Madrid es la sede del Gobierno"

Además, de la conjunción de N2 y N3 se infiere otra norma:

(N5) "El presidente del Gobierno residirá en Madrid"

Es obvio que N3, N4 y N5 tienen un estatus diferente al de N1 y N2: las normas N3, N4 y N5 son *normas lógicamente derivadas* de N1, N2 o de la conjunción de ambas (Alchourrón-Bulygin 1976, 1979, 1981, 1984b). Gráficamente representado esto es así:

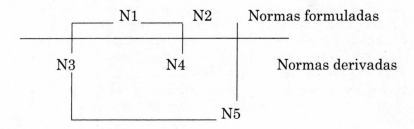

Para ejemplificar qué ocurre al ejecutar un acto de *promulgación*, supongamos que se agrega la siguiente norma:

(N6) "Los límites de la capital serán fijados por ley"

Al integrarse N6 se integra también la norma

(N7) "Los límites de Madrid serán fijados por ley"

Por cierto, N7 se integra como consecuencia de N3 y N6, siendo claro que N7 no puede ser derivada del conjunto C ni de la nueva norma N6 por separado, pero sí de la unión de ambos conjuntos. La gráfica sería ahora la siguiente (individualizaré con el signo "o" las normas promulgadas; el mismo signo subrayado, "o̲", individualizará a la norma explícitamente promulgada):

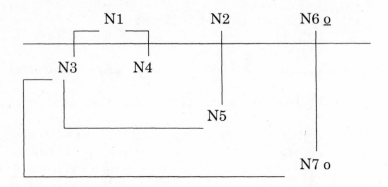

En síntesis, lo que se suma al conjunto C como consecuencia de la promulgación de una norma N no es solamente N, sino también todas sus consecuencias lógicas (para abreviar, "Cn") y, además, todas aquellas normas que sin ser consecuencias de C y tampoco consecuencias de N son, sin embargo, consecuencias del conjunto formado por C y N. Dicho en otros términos: si a un conjunto C agregamos una norma N, el sistema resultante no será Cn(C)+Cn(N), sino Cn(C+N). En la mayor parte de los casos este último conjunto resultará considerablemente mayor que el primero.

8.3.2. De forma análoga a lo que ocurre con la adición de normas, el sistema resultante de un acto derogatorio no es equivalente a Cn(C)-Cn(N), donde C es el conjunto inicial y N la norma derogada, sino a Cn(C-N), y el conjunto Cn(C-N) es (casi siempre) sensiblemente menor que el conjunto Cn(C)-Cn(N), porque puede haber normas que no son consecuencias de N y que, sin embargo, quedan eliminadas, porque N es necesaria para su derivación, y una vez eliminada N dejan de pertenecer al sistema como normas derivadas.

La situación del sistema en caso de derogación es bastante más compleja que en caso de promulgación y deben considerarse aisladamente al menos dos posibilidades, a saber: la derogación de normas formuladas y la derogación de normas derivadas.

El caso de *derogación de norma formulada* es el caso típico de derogación. Con un acto de derogación de normas de este tipo no se sustrae únicamente la norma expresamente derogada, sino también todas las normas que se derivan de ella y todas las normas para cuya derivación ella es necesaria (en conjunción con otras). Hay que distinguir, pues, dos tipos de normas derogadas como consecuencia de un acto de derogación: *normas explícitamente derogadas* y *normas implícitamente derogadas*. Llamaremos *conjunto derogado* al conjunto de normas explícita e implícitamente derogado.

A fin de ejemplificar qué ocurre al ejecutarse un acto de derogación supongamos que el sistema S está integrado por las normas N1, N2, N3, N4 y N5.

La derogación de N1 implicaría derogar, al mismo tiempo, también N3, N4 y N5, es decir, las normas que se derivan de ella (N3, N4) y aquellas para cuya derivación ella es necesaria (N5): el acto de derogar N1 implica lógicamente la derogación simultánea de las otras normas. Gráficamente esto es así (usaré el signo "*" para individualizar las normas derogadas; el mismo signo subrayado, "*", individualizará a la norma explícitamente derogada):

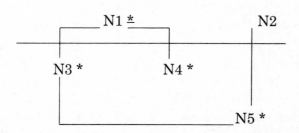

Diferente del caso anterior es aquél en que se deroga no una norma formulada sino una norma derivada. Analizaremos dos situaciones distintas, una de ellas, la segunda, bastante extraña.

Partamos del mismo sistema S antes propuesto y supongamos que se deroga de S la norma derivada N3. En tal caso, ¿qué normas se ven afectadas por el acto de derogación? Si consideramos que la norma N1 implica a la norma derogada, no queda otra alternativa que considerarla también derogada, puesto que de lo contrario N3 no quedaría derogada al ser derivable de N1; la derogación de N1 traería aparejada, por su lado, eventualmente, la derogación de N4, a menos que se considere la derogación de N1 como un caso de derogación parcial, cuyos afectos no alcanzarían a N4 (recuérdese que, en rigor, N1 es una norma compuesta por la conjunción N3&N4). También la norma N5 queda derogada al mismo tiempo, pues al quedar eliminada N3 ella ya no puede ser derivada. Por tanto, la derogación de una norma derivada, como en este caso, tiene efectos derogatorios *ascendentes*, esto es, hacia las normas implicantes, y *descendentes*, es decir, hacia las normas implicadas. En el diagrama siguiente se recoge la situación:

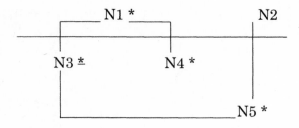

Situación desconcertante es la que se plantea en la siguiente nueva hipótesis: supongamos que la norma a derogar sea ahora la norma N5. En tal caso, para derogar N5 es necesario derogar N2 o N3 (o ambas). Como no resulta posible determinar qué norma de tal par debe desaparecer al derogar N5, el resultado de su derogación genera una *indeterminación lógica* en el sistema, lo que supone que la derogación de una norma provoca la aparición de dos sistemas alternativos. Como no hay criterios lógicos para resolver la cuestión, el problema es insoluble desde ese punto de vista. En este ejemplo, las gráficas representativas de estos dos sistemas serían las siguientes:

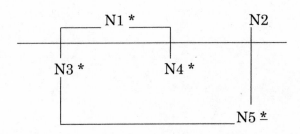

y alternativamente

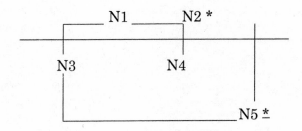

Este último caso analizado pone en evidencia que las operaciones de promulgación y derogación de normas no son simétricas, ya que nada similar a la indeterminación lógica puede producirse al introducir una norma al sistema.

9

Interpretación
y argumentación jurídicas

9.1. La noción de interpretación

9.1.1. El término "interpretación" exige algún cuidado especial en su empleo porque padece de la conocida ambigüedad de proceso-producto: con él se alude tanto a una actividad, la actividad interpretativa, como al resultado de esa actividad. Así, expresiones como "interpretación jurídica", "interpretación del derecho", "interpretación de la ley" o similares, aluden tanto a la actividad consistente en determinar el significado o sentido de un fragmento del lenguaje jurídico (palabra, expresión u oración), como al resultado o producto de esa actividad.

De acuerdo con una manera extendida de hablar, las normas son objeto de interpretación, pero esto es correcto, claro está, sólo a condición de que por "norma" se entienda una formulación normativa. Ese modo de hablar es incorrecto, sin embargo, si por "norma" se entiende, como aquí se ha sugerido, no la formulación normativa, sino su contenido significativo. En este último caso, la norma no constituye el objeto de la interpretación, sino el producto de la actividad interpretativa.

Y todavía el término "interpretación" requiere algunas precisiones adicionales, puesto que los juristas no lo emplean de un modo constante y unívoco. En un sentido estricto, el término "interpretación" es empleado para referirse a la determinación del significado de una formulación normativa en caso de duda o controversia en cuanto a su campo de aplicación: una formulación normativa requiere interpretación –se afirma– sólo cuando su significado es controvertido. De acuerdo con este primer sentido, es necesario distinguir entre dos tipos de formulaciones normativas: por un lado, formulaciones normativas con significado no controvertido, y, por otro, formulaciones normativas con significado controvertido. Es sólo ante el segundo tipo de formulaciones normativas que se requiere interpretación. En un sentido amplio, en cambio, el término "interpretación" es empleado para referirse a la determinación del significado de cualquier formulación normativa, con independencia de toda duda o controversia en cuanto a su campo de aplicación. Según este modo de emplear el término, cualquier formulación normativa, en cualquier caso, requiere interpretación.

Dado que interpretar consiste en determinar el significado de una formulación normativa, puede llamarse "enunciado interpretativo" a una expresión de la forma

(1) "'F' significa S"

donde la variable F representa una formulación normativa (formulación de norma) determinada y la variable S un significado definido. La variable F se halla entre comillas por la sencilla razón de que se trata de una expresión lingüística. Como ya ha quedado establecido, una formulación normativa es la expresión lingüística de una norma y una norma es el significado expresado por esa formulación. Entre formulación normativa y norma no existe, desde luego, una correspondencia biunívoca, pues dos o más formulaciones distintas pueden expresar la misma norma y una misma formulación puede expresar dos o más normas distintas.

La discusión teórica acerca de la fuerza que posee un enunciado como (1) es, por cierto, una discusión todavía abierta. Tres concepciones diferentes de la interpretación, a las que llamaré "cognoscitivista", "no cognoscitivista" e "intermedia", respectivamente, debaten al respecto.

(1) *Concepción cognoscitivista.* Interpretar una formulación normativa F es, en cualquier caso, detectar el significado de F, informando que F tiene el significado S.

De acuerdo con esta concepción, la interpretación del derecho tiene como resultado enunciados interpretativos proposicionales, susceptibles de verdad o falsedad. La interpretación del derecho es una actividad cognoscitiva en base a la cual es siempre posible determinar unívocamente el significado de los textos considerados. Cada cuestión jurídica admite, así, una única respuesta correcta.

La posición de Dworkin parece asociada a esta concepción: "Mi argumento será –ha dicho Dworkin– que, aun cuando ninguna norma establecida resuelva el caso, es posible que una de las partes tenga derecho a ganarlo. No deja de ser deber del juez, incluso en los casos difíciles, descubrir cuáles son los derechos de las partes, en vez de inventar retroactivamente derechos nuevos. Sin embargo, debo decir sin demora que esta teoría no afirma en parte alguna la existencia de ningún procedimiento mecánico para demostrar cuáles son los derechos de las partes en los casos difíciles" (Dworkin 1977, 146).

(2) *Concepción no cognoscitivista.* Interpretar una formulación normativa F es, en cualquier caso, adjudicar un significado a F, estipulando que F tiene el significado S.

De acuerdo con esta concepción, la interpretación del derecho tiene como resultado enunciados interpretativos no proposicionales, carentes del valores de verdad. La interpretación del derecho no es una actividad cognoscitiva sino una actividad decisoria o estipulativa. Ninguna cuestión jurídica tiene, consiguientemente, una respuesta correcta previa a la decisión judicial, por la sencilla razón de que los textos legales son radicalmente indeterminados.

Esta es la posición defendida por Guastini al decir: "los enunciados interpretativos ("El texto T significa S") no son ni verdaderos ni falsos. Tales enunciados tienen la misma estructura profunda que las definiciones llamadas estipulativas, esto es, aquellas definiciones que no describen el uso efectivo de un cierto término o de una cierta expresión, sino que proponen atribuir a un término o a una expresión un significado preferentemente a otros" (Guastini 1992, 109).

(3) *Concepción intermedia.* Interpretar una formulación normativa F es, según el caso, detectar el significado de F, informando que F tiene el significado S, o adjudicar un significado a F, estipulando que F tiene el significado S.

De acuerdo con esta concepción, en determinadas circunstancias la actividad interpretativa es una actividad cognoscitiva y en otras una actividad decisoria. Consecuentemente, algunos enunciados interpretativos son susceptibles de verdad o falsedad y otros no. Según esta concepción, los textos legales están parcialmente indeterminados, y, por consiguiente, existen respuestas correctas para ciertos casos: en los casos típicos el derecho se halla determinado y existe respuesta correcta para ellos; en los casos atípicos, en cambio, el derecho no se halla previamente determinado y no existe respuesta correcta para ellos.

Esta ha sido la posición defendida por Hart: "He retratado la teoría del Derecho —ha dicho Hart— como acosada por dos extremos, la Pesadilla y el Noble Sueño: el punto de vista de que los jueces siempre crean y nunca encuentran el Derecho que imponen a las partes en el proceso, y el punto de vista opuesto según el cual nunca los jueces crean Derecho. Como otras pesadillas y otros sueños, los dos son, en mi opinión, ilusiones, aunque tienen muchas cosas que enseñar a los juristas en sus horas de vigilia. La verdad, tal vez trivial, es que a veces los jueces hacen una cosa y otras veces otra" (Hart 1983, 144).

9.1.3. Parece razonable distinguir dos tipos de enunciados interpretativos: (1) enunciados interpretativos informativos, y (2) enunciados interpretativos estipulativos. Cada uno de estos enunciados se halla vinculado, respectivamente, con los dos conceptos básicos de interpretación considerados: interpretación como detección del significado de una formulación dada, e interpretación como adjudicación de cierto significado a una formulación determinada. Estos dos conceptos de interpretación han sido defendidos excluyentemente por dos concepciones acerca de la interpretación igualmente deformantes, las concepciones (1) y (2). Ambas concepciones presuponen la verdad de una alternativa: las normas determinan con exactitud la totalidad de la conducta regulada o, de lo contrario, no hay normas sino únicamente decisiones individuales. Mientras el cognoscitivista opta por el primer término de la disyuntiva, el no cognoscitivista lo hace por el segundo. Pero, entre ambas posiciones extremas, aparentemente, hay un punto en el que el dilema parece disolverse: existen normas y ellas desempeñan un papel indispensable en la vida social y en la reconstrucción del derecho, pero esas normas no determinan siempre con precisión toda la conducta, pues presentan una zona dentro de la cual el intérprete debe decidir bajo su propia responsabilidad si el caso individual se halla incluido (o no) en el caso genérico regulado. En otras palabras, las normas controlan y resuelven los casos típicos, pero no los casos atípicos. La interpretación es, pues, en ciertas ocasiones, una actividad cognoscitiva (informativa) y, en otras, una actividad decisoria (estipulativa).

De acuerdo con esta posición intermedia hay, así, dos tipos de casos: (1) casos típicos y (2) casos atípicos. Los primeros son aquellos cuyas características constitutivas están claramente incluidas en el marco de significado central de los términos o expresiones que la formulación normativa contiene. Los segundos, en cambio, son aquellos cuyas características constitutivas no están claramente incluidas en, ni excluidas de, el marco de significado central donde se congregan los casos atípicos. Creo que cualquier descripción adecuada de la actividad interpretativa debe admitir que no todos los casos son del mismo tipo ni suscitan las mismas dificultades: es verdad que en el campo de referencia de toda expresión lingüística hay una zona donde resulta dudoso si la expresión puede ser aplicada o no a un objeto determinado, pero no es menos cierto que también hay una zona central donde su aplicación es predominante y cierta; y es verdad, además, que la mayor parte de las expresiones posee dos o más campos de referencia, cada uno de ellos compuesto de una zona central (de certeza) y una zona periférica (de incertidumbre). Parece razonable sostener que siempre existe la posibilidad de enfrentar situaciones atípicas frente a las cuales es dudoso si la expresión se aplica o no, pero ello no excluye que en otras situaciones, de carácter típico, no exista lugar a dudas. Aceptar que toda expresión posee siempre una zona de incertidumbre no implica conceder que nunca posee una zona de certeza.

Insisto en la importancia de distinguir entre la detección (total o parcial) de un significado preexistente y la adjudicación (total o parcial) de un nuevo significado. La primera actividad es cognoscitiva, puesto que el significado de una expresión está dado por el uso común del lenguaje en cuestión (natural o técnico) o por la intención del emisor de la expresión. Detectar el significado o los significados de una expresión no puede ser sino una de estas cosas: detectar el significado que en contextos similares el acuerda un grupo hablante (o un sector privilegiado de ese grupo hablante) detectar o el significado que efectivamente pretendió asignar a la expresión su emisor. En cualquier caso, ambas cosas pueden ser investigadas con métodos intersubjetivamente válidos y el problema puede ser resuelto mediante el contacto con alguna realidad. Claro está, sin embargo, que no siempre resulta posible determinar el significado de una expresión lingüística, y en tal caso es necesario asignar estipulativamente un significado determinado a la expresión en cuestión. Cuando el intérprete ha agotado la investigación mediante métodos cognoscitivos y su duda subsiste, debe decidir si el caso se encuentra bajo la órbita de la expresión: para considerar el caso como incluido o excluido, el intérprete se ve forzado a adjudicar a la expresión un significado que, en relación al caso, no tenía hasta entonces (ese significado no estaba correlacionado con la expresión y ha sido "puesto" sobre la base de una decisión no determinada por reglas lingüísticas preestablecidas). Esa decisión, sin embargo, no tiene por qué ser necesariamente arbitraria, puesto que puede hallarse fundada en determinados estándares valorativos adicionales (morales, sociales, políticos, económicos) a partir de los cuales se ponderan las consecuencias de la inclusión o exclusión (Carrió 1990, 57).

9.1.4. Las palabras son signos arbitrarios que se convierten en convencionales una vez que son adoptados por los usuarios del lenguaje. Los significados de las palabras no han sido originalmente detectados o descubiertos, sino asignados o estipulados. Y dado que las palabras son signos convencionales, no hay nada que pueda considerarse la palabra correcta o incorrecta para representar a una cosa: siempre se podría haber utilizado o creado otro sonido o grafía en lugar del elegido para representar a esa cosa. Pero una vez que han sido dados nombres a las cosas, es más conveniente guiarse en el proceso de comunicación por aquellos nombres ya asignados. De este modo, indudablemente es inexacto llamar a ciertas cosas por ciertos nombres: aunque no existe una conexión natural entre los nombres y las cosas, sería ciertamente incorrecto referirse a las cosas con un nombre distinto al establecido por convención. Existen, pues, significados correctos en relación con determinadas convenciones, obviamente no inmutables. Es incorrecto usar una palabra para representar a una cosa a la que por convención nos referimos con una palabra diferente. Y si resolviésemos abandonar el uso común, deberíamos informar a nuestros interlocutores (actuales o potenciales) qué pretendemos que signifiquen nuestras palabras al emplearlas, con lo cual, nuevamente, tendríamos un criterio de corrección de uso.

En este mismo sentido, algunos autores han advertido que, en el plano de la interpretación del derecho, cuando resulta imposible detectar el significado de una expresión legal, los juristas asignan un significado a la expresión en cuestión mediante definiciones estipulativas que funcionan como propuestas interpretativas. De modo tal que, una vez que dicha definición recibe cierta aceptación por parte de la comunidad jurídica, se convierte en definición informativa, informativa de los nuevos usos lingüísticos existentes (Niiniluoto 1981, 66-70).

9.2. Problemas de interpretación

9.2.1. El significado de las formulaciones normativas está determinado por el significado de las palabras que la integran y por el orden sintáctico de ellas. En numerosas ocasiones las palabras usadas en formulaciones normativas plantean problemas en cuanto a la determinación de su significado, y en otras el vínculo sintáctico entre los términos de la formulación da lugar a equívocos. De ello se sigue que no siempre es sencillo determinar qué norma expresa una formulación normativa.

La dificultad no siempre se debe a que quien emitió la formulación normativa no hubiera pretendido expresar una norma definida, sino a que el lenguaje natural al que se recurre para la formulación padece de ciertos defectos endémicos que dificultan la comunicación. Cuando quien ha emitido la formulación normativa se encuentra a mano del intérprete, cabe obtener de él una especificación del significado de aquélla, inquiriéndole acerca del significado pretendido. Pero es obvio que no siempre existe esa oportunidad, sobre todo cuando se trata de formulaciones normativas escritas. En tales casos, no hay más remedio que tomar en cuenta elementos diferentes para especificar el significado de una formulación normativa que, de acuerdo con los usos lingüísticos vigentes, resulta controvertida.

En al ámbito del derecho, tener dudas interpretativas acerca del significado de una formulación normativa supone una falta de certeza acerca de la identificación de la norma expresada por esa formulación, es decir, acerca de las soluciones proveídas por el sistema jurídico para determinados casos.

9.2.2. Expondré a continuación algunos de los problemas de interpretación más frecuentes y mostraré cómo se reflejan en textos legales. Los problemas de interpretación se presentan aquí como fuentes o motivos de duda o controversia en torno al significado de formulaciones normativas.

(1) *Ambigüedad.* Una formulación normativa es ambigua cuando, en un contexto dado, es posible asignarle dos o más significados, esto es, cuando puede ser interpretada de dos o más modos. Una formulación normativa ambigua expresa más de una norma. Siendo así, la ambigüedad se presenta como una situación de encrucijada para el intérprete, dado que tiene ante sí dos vías (o más) de interpretación y carece de indicaciones acerca de cuál elegir.

Con frecuencia las palabras poseen más de un significado. Conviene distinguir entonces entre *homonimia* y *ambigüedad*, dos fenómenos distintos vinculados con la explicación inicial. Mientras la homonimia supone que una misma palabra está ligada a dos o más significados, la ambigüedad es el resultado que produce una homonimia en una comunicación concreta. Consiguientemente, no toda homonimia produce efectivamente situaciones ambiguas, puesto que el contexto marca al intérprete, la mayoría de las veces, la interpretación a elegir de varias posibles. Esto es lo que se pretende advertir al afirmar que una expresión no es ambigua *per se*, sino que es *usada* ambiguamente: es ambigua cuando no se puede saber por el contexto cuál de los sentidos que posee es el empleado (Hospers 1967, 28). Por ello, es importante tener presente que el significado de las palabras se encuentra en función del contexto lingüístico en que aparecen y que ese mismo contexto, en la generalidad de los casos, disipa toda posible confusión. Por la misma razón, dado que la mayoría de las palabras del lenguaje natural posee más de un significado, no se considera que todas ellas son ambiguas: una palabra es ambigua cuando existe incertidumbre acerca del significado empleado en un caso particular.

Lo mismo que las palabras, las oraciones también pueden ser ambiguas. Una oración puede serlo porque contiene una palabra ambigua, pues esa misma palabra hace a la oración susceptible de ser tomada en más de un sentido, pero también puede serlo sin que lo sean las palabras que contiene. Lo que sucede es que no sólo las palabras individuales, sino también el orden en que aparecen en la oración puede hacer a la oración susceptible de tener más de un significado. El tipo de ambigüedad que depende del orden de las palabras se denomina *sintáctica*, en contraposición a la *semántica*, en la cual una sola frase o palabra tiene más de un significado.

Un ejemplo de ambigüedad semántica está dado por la palabra "vital" incluida en la expresión "en los supuestos de atención urgente y vital" (artículo 5.3. del Real Decreto 63/95 sobre Prestaciones Sanitarias). La expresión "vital" tiene en castellano dos significados diferentes que en el contexto operan indistintamente: uno, relativo a la vida, y, otro, relativo a la trascendencia. Así, la expresión "vital" puede ser interpretada de dos maneras distintas, ambas igualmente plausibles.

Un ejemplo de ambigüedad sintáctica está dado por la redacción del artículo 619 del Código Penal español al decir "persona de edad avanzada o discapacitada que se encuentre desvalida y dependa de sus cuidados". La frase adjetival "que se encuentre desvalida y dependa de sus cuidados" puede dar lugar a equívocos, pues no está claro si la calificación afecta sólo a las personas discapacitadas o a las personas discapacitadas y a las personas de edad avanzada. El mismo tipo de caso está dado en el artículo 1346.7 del Código Civil, donde dice "ropas y objetos de uso personal que no sean de extraordinario valor", pues la frase adjetival "que no sean de extraordinario valor" suscita el mismo problema.

(2) *Vaguedad.* Una formulación normativa vaga es una expresión lingüística desprovista de precisión en cuanto a su contenido significativo. Una formulación normativa puede ser vaga a causa de la imprecisión del significado de algunas de las palabras que forman parte de la expresión lingüística. Las formas de vaguedad son diversas y merecen ser analizadas separadamente.

(a) *Graduación.* Esta forma de vaguedad se genera cuando no existe un límite preciso entre la aplicabilidad y la inaplicabilidad de una palabra. Sucede que, en este supuesto, la palabra es claramente aplicable en determinas situaciones y claramente inaplicable en otras, pero entre éstas hay otras más en las que no podemos afirmar que la palabra es aplicable o inaplicable. Esto sucede, básicamente, con las llamadas "palabras polares" (v.gr. "lento"/"rápido", "frío"/"caliente", "duro"/"blando", "alto"/ "bajo"), en las que existe un eje en uno de cuyos extremos la palabra es aplicable e inaplicable en el otro, siendo gradual el paso entre ellos. Estas palabras, pues, hacen referencia a propiedades que se dan en diferentes grados, sin que el significado de la palabra posea un límite cuantitativo para su aplicación.

(b) *Combinación*. Esta otra forma de vaguedad se plantea porque no existe un conjunto definido de condiciones que gobierne la aplicación de la palabra: la palabra carece de precisión porque no hay un conjunto de propiedades cada una de las cuales sea necesaria y que conjuntamente sean suficientes para su aplicación; ciertas propiedades relevantes pueden estar ausentes y, sin embargo, aplicarse la palabra, dada la presencia de otras propiedades relevantes.

También puede suceder que resulte imposible enumerar acabada y definitivamente las propiedades suficientes para la aplicación de la palabra, quedando abierta la posibilidad de aparición de nuevas propiedades no consideradas que autoricen su aplicación.

Puede ocurrir, finalmente, que, determinadas las propiedades suficientes para la aplicación de una palabra, existan dudas acerca de su aplicabilidad cuando aparecen propiedades concomitantes extrañas. Y como resulta imposible prever todas las propiedades extrañas que no deberían presentarse para que la expresión fuera aplicable, el listado necesariamente debe ser abierto.

En suma, cabe formular algunas observaciones y considerar las siguientes circunstancias: primero, dentro de un conjunto definido de propiedades, en ciertos casos, no hay una sola de ellas que no pueda ser dispensada, siempre que exista un número mínimo de las demás; segundo, cuantas más propiedades se encuentren presentes, con mayor confianza cabe aplicar la expresión, aunque no pueda determinarse el porcentaje exacto que ha de darse; tercero, no siempre es posible establecer un número definido de propiedades como *el* conjunto de las propiedades que ha de satisfacerse para la aplicación de la palabra; cuarto, no todas las propiedades tienen el mismo peso para la aplicación de una palabra; quinto, algunas propiedades se presentan en grados y no se da el caso de que meramente están o no están presentes, por lo que no puede resolverse con certeza si la palabra resulta aplicable o no (Hospers 1967, 93-9).

Los siguientes son algunos ejemplos de expresiones vagas tomadas de la legislación penal española: "arrebato u obcecación" (artículo 21.3), "ensañamiento" (artículo 148.2), "órgano o miembro principal" (artículo 149), "actos de exhibición obscena" (artículo 185), "respeto debido a la memoria de los muertos" (artículo 526). Los próximos son ejemplos tomados de la Constitución española: "dignidad de la persona" (artículo 10), "censura previa" (artículo 20), "tutela efectiva" (artículo 24), "dilaciones indebidas" (artículo 24), "servicios esenciales de la comunidad" (artículo 28), "sistema tributario justo" (artículo 31), "alcance confiscatorio" (artículo 31), "interés social" (artículo 33), "remuneración suficiente" (artículo 35), "medio ambiente adecuado para el desarrollo de la personalidad" (artículo 45), "utilización racional de los recursos" (artículo 45), "vivienda digna y adecuada" (artículo 47).

(3) *Indeterminación.* La indeterminación es también un problema que se plantea en la interpretación de formulaciones normativas. La indeterminación nace de cierta falta de especificación acerca de alguna cuestión relevante relativa al contenido significativo de la formulación interpretada, como la individualización del sujeto destinatario, la especificación de la ocasión en que debe ejecutarse la acción regulada, o alguna otra circunstancia similar. Para determinar adecuadamente el significado de una formulación normativa, el intérprete necesita cierta cantidad de datos, no siempre disponibles.

El artículo 818.1. del Código Civil español dispone que "para fijar la legítima se atenderá al valor de los bienes que quedaren a la muerte del testador". La doctrina ha debatido si la valoración del *relictum* debe hacerse en relación al día del fallecimiento del testador, o a los precios del día en que tal valoración se hace, o bien, todavía, con referencia al día en que se paga la legítima (Lacruz Berdejo et.al. 1993, 404). El artículo considerado no determina, pues, el momento en relación al cual debe efectuarse la valoración indicada.

La Constitución española prevé expresamente en su artículo 18.2, tres supuestos de entrada legítima en el domicilio, vinculados con el consentimiento del titular, la comisión de delito flagrante y la existencia de resolución judicial que la autorice. La doctrina y la jurisprudencia han debatido si la lista considerada determina o no todos los supuestos admisibles. En respuesta, se ha señalado, por ejemplo, que "ni siquiera esa enumeración, en principio tasada, puede considerarse exhaustiva, pues a los supuestos citados es preciso añadir, en todo caso el de fuerza mayor o estado de necesidad, lo que constituye un supuesto de entrada en el domicilio" (López Guerra et. al. 1991, 188).

(4) *Anomalía*. Como el lenguaje es una actividad reglada, existen frecuentes violaciones a reglas lingüísticas de diferentes tipos. Hay, pues, anomalías lingüísticas de distintas especies, pero las anomalías que merecen especial atención en este contexto son las semánticas. En caso de anomalía el intérprete se encontrará con formulaciones carentes de sentido, aunque en ocasiones puedan parecer gramaticalmente correctas. Si una formulación normativa carece de significado, aunque contenga palabras y obedezca a las reglas de la gramática, no puede expresar una norma y, por consiguiente, no puede ser obedecida o desobedecida. La condena por anomalía es la más seria que pueda asignarse a una formulación, pues la descalifica por asignificativa. Conviene advertir que, en el ámbito legislativo, la mayor parte de los casos de anomalía se originan en alteraciones en la formulación de una norma.

El artículo 137 de la edición oficial de la Constitución paraguaya dice textualmente lo siguiente: "Esta Constitución no perderá su vigencia ni dejará de observarse por actos de fuerza o fuera derogada por cualquier otro medio distinto del que ella dispone". La formulación normativa resulta ininteligible. El problema fue originado en una alteración de la formulación: donde dice "ni dejará" debe decir "si dejara".

(5) *Alteración*. Es posible que en el proceso de formulación de una norma se agreguen elementos que no han sido introducidos intencionalmente por la autoridad legislativa. Tales aditamentos indeseados pueden ser distorsiones de sonido o de forma, o errores de formulación. Todos esos cambios en la formulación normativa pueden ser denominados genéricamente "alteraciones".

Si bien es verdad que no siempre las alteraciones generan dificultades al intérprete en la determinación del significado de formulaciones normativas, también es verdad que en ocasiones ellas generan genuinos trastornos. Esto sucede, en general, cuando en la formulación se sustituye una palabra (o expresión) determinada por otra similar, o cuando se omite incluir una porción de ella. Alteraciones como esas, en contextos normativos, obviamente, pueden suscitar dificultades serias en el proceso de interpretación.

La doctrina española ha advertido, por ejemplo, que en el artículo 818 del Código Civil, donde dice "donaciones colacionables" debió decir "donaciones computables".

Se ha advertido, desde luego, que en numerosas ocasiones resulta notorio que el legislador ha pretendido decir algo radicalmente diferente de lo que efectivamente dijo, habiendo caído en un *lapsus* en el uso de ciertas palabras o notaciones sintácticas. Así como que, en otras ocasiones, sucede que un intermediario ha reproducido deficiente o equivocadamente una formulación del legislador. Este es el caso que se plantea, por ejemplo, cuando el editor de un texto legal lo ha reproducido mal o lo ha reproducido en forma diferente en distintas ediciones (Nino 1980, 271). La solución habitual para situaciones como éstas consiste en la promulgación de una *errata legislativa* dando cuenta de las alteraciones introducidas.

Es común la aceptación de que, en procesos legislativos, los errores son inevitables. Consiguientemente, a partir de la aceptación de la segura producción de un número determinado de erratas, cabe disponer de un mecanismo adecuado y eficaz para su corrección. Corresponde, pues, arbitrar procedimientos para evitar y, en su caso, salvar los errores materiales en la publicación o reproducción legislativa. Si ello no se consiguiera, sería tarea del intérprete eliminar las alteraciones, cuando resultare posible.

(6) *Bivalencia.* Se ha señalado antes que la actividad de formular normas presupone la existencia de una comunidad lingüística a la que pertenecen todos los involucrados en ella en sus distintos caracteres (autoridad, intermediarios, destinatarios). La formulación de una norma supone siempre el uso de un lenguaje compartido tanto por el legislador como por los destinatarios.

Este aspecto tiene considerable importancia en el ámbito del derecho, por cuanto que el proceso legislativo se sustenta, en realidad, en dos lenguajes distintos, con diferente nivel de difusión entre los destinatarios: un lenguaje natural y un lenguaje técnico. Se sostiene que las autoridades utilizan en su actividad legislativa lenguajes naturales conocidos por sus súbditos, ya que se hallan interesados en comunicar sus directivas en la forma más eficaz posible. Pero el legislador suma con frecuencia términos técnicos a dicho lenguaje, y esto ocurre, principalmente, cuando se pretende otorgar a determinados vocablos o expresiones un significado restringido, mediante definiciones precisas: los términos definidos pueden haber sido tomados del lenguaje natural o pueden haber sido creados para nombrar una categoría inexistente en el lenguaje natural y que se considera relevante para ciertos propósitos. En general, pues, el legislador emplea comúnmente este procedimiento para otorgar mayor precisión al lenguaje, pero la base y la estructura del lenguaje legislativo son las mismas del lenguaje natural del que se parte. A esto se apunta al señalar que el lenguaje legal no tiene peculiaridades sintácticas, pero tiene algunas características semánticas debidas a la influencia del legislador al formar significados de algunos términos que utiliza.

Se afirma que los términos técnicos son propios de una determinada ciencia o técnica, por lo que normalmente se encuentran al margen del lenguaje ordinario. En ciertos casos, los términos técnicos, no obstante formar parte del lenguaje común, por su conexión con el derecho, conservan sólo una de las acepciones que tienen en aquél, o bien adoptan un sentido más restringido. Estas circunstancias pueden conducir a problemas interpretativos diversos: un vocablo de uso común puede transformarse, con motivo de su incorporación al sistema legal, en un término técnico (v.gr. "cosa"); un vocablo técnico puede transformarse en un tèrmino de uso común en base a la difusión de su empleo (v.gr. "homicidio"); un vocablo técnico puede presentar distintas acepciones en diferentes sectores del ordenamiento jurídico (v.gr. "interés"). En los dos primeros casos el problema consiste en determinar si el vocablo en cuestión debe interpretarse en su nueva acepción y, en caso negativo, en qué supuestos debe mantener su significado original. En el tercer caso, el problema consiste en determinar cuál de las diferentes acepciones técnicas debe privilegiarse en un trabajo interpretativo (Iturralde 1989, 45).

El problema de la bivalencia supone, en suma, que una formulación normativa determinada puede ser interpretada en base a dos lenguajes distintos, uno natural y otro técnico o dos técnicos diferentes.

El Código Penal español emplea la expresión "cosa mueble" en la tipificación del delito de robo, conforme al texto del artículo 237. La doctrina y la jurisprudencia han debatido acerca de si la expresión debe ser tomada en el ámbito del derecho penal en el sentido dado por el Código Civil en su artículo 335, o si, por el contrario, ella debe ser tomada en ese ámbito en un sentido distinto de aquél. El Tribunal Supremo ha establecido, en definitiva, que "la noción de bien mueble es la de aquél objeto capaz de trasladarse de un lugar a otro sin sufrir por ello pérdida o menoscabo, noción no siempre coincidente con la del Código Civil" (STS 16.2.88). Así, la expresión "cosa mueble" tiene significados diferentes en los ámbitos del derecho penal y del derecho civil, respectivamente.

9.3. Argumentos interpretativos

9.3.1. Por lo común, la expresión "dar un argumento" significa ofrecer una razón o un conjunto de razones en apoyo de cierta conclusión. Los argumentos son, así, intentos de apoyar ciertas afirmaciones o decisiones con razones. De este modo, argumentar tiene una importancia especial porque constituye una manera de informarse acerca de qué afirmaciones o decisiones son mejores que otras; así como algunas conclusiones pueden apoyarse en buenas razones, otras tienen un sustento mucho más débil. Desde luego, debemos dar argumentos en favor de las diferentes conclusiones y luego valorarlos para considerar cuán fuertes son realmente. En este sentido, los argumentos tienen una relevancia especial en la actividad interpretativa, pues el discurso del intérprete se halla comúnmente constituido por un enunciado interpretativo (informativo o estipulativo) y por uno o más argumentos ofrecidos para apoyar o respaldar la interpretación propuesta.

Se afirma que un argumento, en sentido estricto, no es una mera colección de proposiciones o normas, sino un conjunto estructurado que suele describirse con los términos "premisas" y "conclusión": la conclusión de un argumento es la proposición o norma que se acepta con base en las otras proposiciones o normas del argumento, y estas otras proposiciones o normas, que son dadas (o supuestas) como apoyo o razones para aceptar la conclusión, son las premisas de ese argumento.

En ocasiones es posible identificar las premisas y la conclusión de un argumento por una serie de expresiones típicas que actúan como indicadores de unas y otra. Son indicadores de las premisas de un argumento, por ejemplo, expresiones como "puesto que", "dado que", "porque", "se sigue de", "en base a", "en vista de" y la "razón es que", entre otras. Y son indicadores comunes de la conclusiones expresiones como "por lo tanto", "en consecuencia", "consecuentemente", "se sigue que", "cabe concluir que", "lo cual muestra que" y "lo cual apunta a la conclusión de que". Es importante advertir, sin embargo, que en la presentación de un argumento su conclusión puede ir antes o después de las premisas, o en medio de ellas; así como que la conclusión puede no formularse explícitamente, pero puede estar aclarada por el contexto, o hallarse implicada por las premisas formuladas explícitamente. Al analizar un argumento es útil, a menudo, distinguir por separado, las premisas de la conclusión, y al reportar el resultado de nuestro análisis de un argumento es útil también formular cada premisa con independencia, así como la conclusión, en una oración que pueda entenderse sin considerar el contexto.

9.3.2. La expresión "argumento jurídico" es vaga y ambigua. Por un lado, con ella se hace referencia, en general, a cualquier argumento usado para respaldar una petición o decisión jurídica. Por otro lado, se alude con ella, más concretamente, a ciertos argumentos específicos usados para respaldar una decisión interpretativa. En este contexto consideraré aquellos argumentos que los juristas emplean típicamente para apoyar la elección de cierta opción interpretativa.

En general, los argumentos interpretativos tienen la siguiente forma básica: (1) Toda formulación normativa con la característica C debe ser interpretada del modo M; (2) La formulación normativa F tiene la característica C; (3) Por lo tanto, la formulación normativa F debe ser interpretada del modo M.

En el esquema, la premisa (1) constituye una pauta interpretativa general que indica el modo como debe ser interpretada toda formulación normativa que posea cierta característica; la premisa (2) especifica que determinada formulación normativa posee la característica referida; la conclusión (3), constituye una pauta interpretativa específica que indica el modo como debe ser interpretada la formulación normativa en cuestión.

Los llamados "argumentos jurídicos" actúan así, precisamente, como pautas interpretativas generales y ocupan el lugar de la premisa (1), indicando el modo como deben ser interpretadas ciertas formulaciones normativas. El listado de argumentos jurídicos tradicionales incluye habitualmente los siguientes tipos (Tarello 1980, 341-396; Guastini 1993, 359-388; MacCormick-Summers 1991, 512-544; Klug 1988, 139-199; los ejemplos han sido tomados, en general, de Ezquiaga 1987):

(1) *Argumento "a simile"*. Dada una formulación normativa con significado controvertido, ella debe ser interpretada atendiendo a otra formulación normativa ya interpretada, con la cual guarde semejanza relevante o idéntica *ratio*.

El artículo 21 de la Constitución española, relativo a los derechos de reunión y de manifestación, ha servido de base para la resolución de cierto caso. La cuestión planteada exigía la interpretación de dos disposiciones legales con limitaciones diferentes para el ejercicio de los derechos mencionados (los denominaré, para simplificar, artículos 1 y 2). En base a un argumento "a simile", el Tribunal Constitucional sostuvo: "debe aceptarse la norma más específica y homogénea que permita una mayor congruencia y evite transposiciones arbitrarias, y en este caso la norma que reúne tales condiciones es la del artículo 1, que se refiere a las 'reuniones en lugar abierto al uso público", que poseen la misma identidad de razón que las 'reuniones en lugar de tránsito público y manifestaciones' que el artículo 21 de la Constitución regula, por ser lo decisivo para la acción analógica la clase de acto –"reunión abierta' o 'reunión cerrada"– y no la forma de relación con la autoridad –"comunicación' o 'autorización"–, siendo de desechar el artículo 2 por estar referido a reuniones en lugar cerrado (...) (STC 36/1982).

(2) *Argumento "a fortiori"*. Dada una formulación normativa con significado controvertido, ella debe ser interpretada atendiendo a otra formulación normativa ya interpretada, cuya *ratio* valga con mayor razón para aquélla.

El artículo 24.2 de la Constitución española, relativo al secreto profesional, ha generado controversias en cuanto a su alcance. La cuestión planteada en cierto caso fue si el deber de secreto era invocable sólo ante la administración de justicia o también ante la administración pública. El Tribunal Constitucional resolvió la cuestión en base a un argumento "a fortiori" diciendo: "El secreto profesional, es decir, el deber de secreto que se impone a determinadas personas, entre ellas los Abogados, de lo que conocieren por razón de su profesión, viene reconocido expresamente en la Constitución, que en su art.24.2 dice que la ley regulará los casos en que, por razón de parentesco o de secreto profesional, no se está obligado a declarar sobre hechos presuntamente delictivos. Evidentemente y *a fortiori* tampoco existe el deber de declarar a la Administración sobre esos hechos (STC 110/1984).

(3) *Argumento "a contrario"*. Dada una formulación normativa con significado controvertido, ella debe ser interpretada excluyendo de su alcance todo caso distinto del expresamente incluido.

El artículo 25.3 de la Constitución española, relativo a las sanciones que impliquen privación de libertad, prohibe a la administración civil su aplicación. La cuestión debatida en cierto caso fue si dicho artículo alcanzaba a la administración militar. La respuesta del Tribunal Constitucional, basada en un argumento "a contrario" fue la siguiente: "Del artículo 25.3 se deriva "a sensu contrario" que la administración militar puede imponer sanciones que, directa o indirectamente, impliquen privación de libertad" (STC de 15.06.1981). El artículo no menciona a la administración militar, silencio que el Tribunal interpreta como voluntario y que justifica exceptuar a la administración militar de la prohibición establecida.

(4) *Argumento "a rubrica"*. Dada una formulación normativa con significado controvertido, ella debe ser interpretada atendiendo a los títulos y a las divisiones legales que incluyen a aquélla.

Se ha debatido en España el alcance de la expresión "autoridad judicial" en relación al Tribunal Constitucional. El propio Tribunal Constitucional ha decidido al respecto, en base a un argumento "a rubrica", que "las expresiones 'autoridad judicial' u 'órgano judicial' (...) no son (...) aplicables al Tribunal Constitucional, pues éste no es un órgano integrante del Poder Judicial, como se infiere de otros preceptos, del Título VI de la Constitución, en donde no está incluido el Tribunal Constitucional, que precisamente por ser 'independiente de los demás órganos constitucionales' (art. 1 de la LOTC), está regulado en un Título aparte de la Constitución (el IX), desarrollado por la propia Ley Orgánica de 1979" (ATC 83/1980).

(5) *Argumento psicológico*. Dada una formulación normativa con significado controvertido, ella debe ser interpretada atendiendo a la voluntad del legislador, voluntad que se manifiesta en su exposición de motivos, preámbulos y trabajos preparatorios.

El artículo 20.1.c de la Constitución española, relativo a la libertad de cátedra, ha generado controversia en cuanto a su alcance. En base a un argumento psicológico, el Tribinal Constitucional ha sostenido lo siguiente: "Aunque tradicionalmente por libertad de cátedra se ha entendido una libertad propia sólo de los docentes en la enseñanza superior o, quizás más precisamente, de los titulares de puestos docentes denominados precisamente 'cátedras' y todavía hoy en la doctrina alemana se entiende, en un sentido análogo, que tal libertad es predicable de aquellos profesores cuya docencia es proyección de la propia labor investigadora, resulta evidente, a la vista de los debates parlamentarios, que son un importante elemento de interpretación, aunque no la determinen, que el constituyente de 1978 ha querido atribuir esta libertad a todos los docentes, sea cual fuere su nivel de enseñanza en el que actúan y la relación que media entre su docencia y su propia labor investigadora" (STC 13.02.1981).

(6) *Argumento "sedes materiae"*. Dada una formulación normativa con significado controvertido, ella debe ser interpretada atendiendo al lugar que ocupa en el contexto del que forma parte.

Los artículos 28 y 37 de la Constitución española, relativos al derecho de huelga y al derecho de adoptar medidas de conflicto colectivo, respectivamente, han generado controversias en cuanto a su relación y campo de aplicación. A los efectos de determinar el peso de uno y otro, el Tribunal Constitucional ha dicho, empleando un argumento "sedes materiae", lo siguiente: "el primero de ellos se encuentra en la sección 1a del capítulo 2o, que versa sobre los derechos y libertades, mientras que el segundo se encuentra en la sección 2a del capítulo 2o, que habla simplemente de los derechos ciudadanos. Esta colocación sistemática comporta evidentes consecuencias en cuanto al futuro régimen jurídico de uno y de otro derecho" (STC 08.04.1981).

(7) *Argumento "ab auctoritate"*. Dada una formulación nor-

mativa con significado controvertido, ella debe ser interpretada atendiendo a la opinión de determinada autoridad intelectual o jurídica.

El artículo 24 de la Constitución española, relativo a la tutela judicial efectiva, ha generado controversia en cuanto a su alcance. Uno de los problemas debatidos ha sido si el derecho a la doble instancia se halla incluído en él. La doctrina especializada, recurriendo a la autoridad del Tribunal Constitucional, ha dicho a este respecto: "El Tribunal Constitucional ha establecido que el derecho a la tutela judicial no comprende, con carácter general, con la excepción del proceso penal, el doble pronunciamiento judicial, esto es, no comprende el derecho a acudir a una segunda instancia que revise la corrección de la resolución judicial en primera instancia" (López Guerra et.al. 1991, 284).

(8) *Argumento histórico.* Dada una formulación normativa con significado controvertido, ella debe ser interpretada atendiendo a los precedentes existentes, empezando por los inmediatos.

El artículo 17.3 de la Constitución española, relativo al derecho a ser informado de la acusación, ha generado controversia en cuanto a su alcance. Invocando precedentes, el Tribunal Constitucional ha decidido sistemáticamente lo siguiente: "La Sala Primera de este Tribunal, en su sentencia de 10 de abril de 1981 (...), vino a concretar cuál es el contenido esencial constitucionalmente exigible del derecho a ser informado de la acusación a los efectos de la defensa, estableciendo la doctrina de que es evidente que esa información ha de recaer sobre los hechos considerados punibles que se imputen al acusado" (STC 105/1983, entre otras).

(9) *Argumento teleológico.* Dada una formulación normativa con significado controvertido, ella debe ser interpretada atendiendo a su propia finalidad objetiva, suponiendo que fue dictada como medio adecuado para alcanzarlo.

El artículo 14 de la Constitución española, relativo a la igualdad ante la ley, ha generado controversia en cuanto a su alcance. El Tribunal Constitucional ha señalado con insistencia que, en atención a su finalidad objetiva, el artículo en cuestión no prohibe toda desigualdad, sino sólo aquélla que carezca de una justificación objetiva y razonable (STC 02.07.1981).

(10) *Argumento económico.* Dada una formulación normativa a la que quepa atribuir varios significados, ella debe ser inter-

pretada prescindiendo de aquel (o aquellos) significado(s) que suponga(n) una repetición respecto de lo establecido por otra formulación normativa ya interpretada.

Respecto de la interpretación del artículo 149 de la Constitución española, relativo a las competencias exclusivas del Estado, el Tribunal Constitucional ha dicho, refiriéndose a la expresión "... y en general, de todos los medios de comunicación social", contenida en el apartado 1.27, que ella no puede incluir, so pena de redundancia, materias que estén reguladas en otros preceptos (STC 49/1984).

(11) *Argumento "a coherentia".* Dada una formulación normativa a la que quepa atribuir varios significados, ella debe ser interpretada prescindiendo de aquél (o aquellos) significado(s) que suponga(n) una contradicción respecto de lo establecido por otra formulación normativa ya interpretada.

El artículo 53.2 de la Constitución española, relativo a la tutela de ciertas libertades y determinados derechos mediante el recurso de amparo, ha generado dudas interpretativas, por cuanto se alude en él "a los ciudadanos" como sujetos de tal tutela. El Tribunal Constitucional ha decidido, en base a un argumento "a coherentia", que "una interpretación aislada del artículo 53.2. que limitara a la persona individual esa tutela reforzada que dice este precepto, dejando para las otras personificaciones la tutela ordinaria, implicaría con este recorte al sistema de defensa de un derecho fundamental, una conclusión contraria a la que resulta –además del artículo 24.1– del artículo 162.1.b. de la Constitución, en el que también a las personas jurídicas se reconoce capacidad para accionar en amparo" (STC 53/1983).

(12) *Argumento "ad absurdum".* Dada una formulación normativa a la que quepa atribuir varios significados, ella debe ser interpretada prescindiendo de aquel (o aquellos) significado(s) que dé(n) lugar a consecuencias absurdas o que contrasten con valoraciones del sentido común.

El artículo 14 de la Constitución española, relativo a la igualdad ante la ley, ha generado dudas interpretativas en cuanto a su alcance respecto de la igualdad en la aplicación de la ley. El Tribunal Constitucional ha resuelto la cuestión, recurriendo a un argumento "ad absurdum", de la siguiente manera: "No existe (...), un mandato de igualdad absoluta que obligue en todo caso al tratamiento igual de los supuestos iguales, pues ello sería contrario a la propia dinámica jurídica que se manifiesta no sólo en la modificación normativa, sino también en una razonable evolución en la interpretación y aplicación de la legalidad (...). (...) [C]arecería de sentido un enjuiciamiento que habría de respetar por definición los elementos de derecho conducentes a la nueva interpretación, so pena de asentar los pronunciamientos de los Tribunales sobre un principio de predominio de los precedentes, que no es consustancial con nuestro sistema jurídico" (STC 63/1984).

(13) *Argumento pragmático.* Dada una formulación normativa a la que quepa atribuir varios significados, ella debe ser interpretada optando por aquél significado que lo haga más eficaz para lograr su finalidad, prescindiendo del (de los) significado(s) que la convierta(n) en ineficaz a ese respecto.

El artículo 28.1 de la Constitución española, relativo al derecho a sindicarse, ha generado dudas interpretativas en cuanto a su alcance. El Tribunal Constitucional, recurriendo a un argumento pragmático, ha dicho al respecto: "Forma parte esencial del derecho de sindicación el derecho de celebrar reuniones a las que concurran los afiliados al sindicato que las convoque, con el objeto de desarrollar los fines propios del sindicato, pues de otra forma el ejercicio del derecho sería lógicamente imposible" (STC 91/1983).

Cada uno de los argumentos del listado anterior plantea, como resultará obvio, problemas importantes a la hora de su aplicación, sobre todo por la buena dosis de vaguedad que contienen sus respectivas formulaciones. Sucede, además, que no todos ellos son compatibles entre sí, y, por consiguiente, no siempre conducen a idénticos resultados. Por otro lado, no existen pautas generales que establezcan jerarquías entre ellos, lo que dificulta la opción entre uno y otro ante un caso particular. De todos modos, los juristas recurren a ellos con frecuencia y con relativo provecho.

10

Sistemas normativos
y sistematización de normas

10.1. Un modelo de sistematización de normas

10.1.1. Los juristas parecen coincidir en que una tarea importante de su disciplina es desarrollar la operación que vaga-
mente denominan "sistematizar" y que consiste, en lo sustancial, en determinar las soluciones jurídicas para una materia
dada, de extensión variable pero siempre limitada.

Para determinar el contenido de un sistema normativo se
debe estar en condiciones de establecer qué consecuencias
normativas (soluciones) están correlacionadas con los diferentes tipos de situaciones (casos). El modelo teórico más
adecuado para sistematizar el material jurídico es, sin lugar
a dudas, el propuesto por Alchourrón-Bulygin (1971), modelo
que explica la estructura de los sistemas normativos del siguiente modo: cuando se trata de determinar la calificación
jurídica de una acción (conducta u omisión) o de un conjunto
de acciones, la respuesta depende de ciertas circunstancias
(propiedades). Entre las infinitas circunstancias que rodean
a una acción, algunas son jurídicamente relevantes y otras no
(por lo común, los juristas fijan esas circunstancias atendiendo a las disposiciones jurídicas que constituyen la base del
sistema). El conjunto de todas las circunstancias relevantes
forman el *universo de circunstancias* o *universo de propieda-*

des (para abreviar, UP). El UP permite, por sí solo, construir una tabla o matriz de casos, en la que cada línea representa una posible combinación de las propiedades relevantes. El conjunto de todos los casos posibles o *universo de casos* (para abreviar, UC), en función del UP, tiene una magnitud matemáticamente calculable, ya que el número de casos que lo componen es igual a 2^n, donde la base 2 representa las posibilidades respecto de cada circunstancia (estar presente o ausente en el caso) y la potencia n el número de circunstancias que componen el UP. Por otra parte, existe un *universo de soluciones* (para abreviar, US), compuesto por todas las soluciones posibles previstas para la materia de que se trata.

Este proceso de sistematización requiere, pues, los siguientes pasos: (1) determinación del UC y del US, y (2) derivación, mediante reglas de inferencia, de las consecuencias de la base para el UC y el US, identificando de ese modo cómo están correlacionados los distintos casos del UC con las distintas soluciones del US. Dicho de otro modo: para determinar el contenido de un sistema normativo, se debe estar en condiciones de decir qué consecuencias jurídicas (soluciones) están correlacionadas con los diferentes tipos de situaciones (casos); por lo tanto, se debe determinar primero el ámbito de problemas que las normas en cuestión resuelven, lo que implica la identificación de los casos posibles (universo de casos), de las acciones reguladas (universo de acciones) y de las soluciones previstas (universo de soluciones); por ello es que, en el modelo, se afirma que las normas correlacionan casos con soluciones. El siguiente paso es puramente deductivo, pues consiste en la derivación de las consecuencias lógicas de las normas que funcionan como base axiomática del sistema.

Obviamente, sobre este esquema, para determinar cuáles son las consecuencias de un conjunto de normas, es necesario usar ciertas reglas de inferencia. Demás está señalar que las consecuencias de un mismo conjunto de normas serán diferentes si se usan distintas reglas de inferencia: una norma que es consecuencia de la base con ciertas reglas de inferencia, puede no serlo si se suprime alguna de tales reglas y viceversa, una norma que no sea consecuencia de la base con ciertas reglas de inferencia puede serlo si se introduce alguna nueva regla de inferencia. De este modo, el contenido del sistema se halla determinado no sólo por las normas de la base, sino también por las reglas de inferencia seleccionadas.

La sistematización permite detectar los casos de incoherencia, laguna o redundancia, que habitualmente son considerados defectos de los sistemas. A partir de allí, los juristas formulan propuestas para su corrección mediante mecanismos específicos, no siempre regidos por reglas claras y uniformes, aunque basados en exigencias racionales (coherencia, completitud e independencia). Tales mecanismos son, básicamente, los siguientes: (1) ordenación (2) integración y (3) reformulación. Es importante no perder de vista que las correcciones introducidas configuran verdaderos cambios de sistemas, con independencia de la forma en que sean presentadas.

10.1.2. En la presentación del modelo propuesto se ofrece el siguiente ejemplo. El tema es el de la reivindicación de cosas inmuebles contra terceros poseedores. El problema surge cuando una persona que posee un inmueble, cuya propiedad no le pertenece, lo transfiere, a título oneroso o gratuito, a un tercero. La cuestión que se plantea entonces es la siguiente: ¿en qué circunstancias el propietario del inmueble puede reivindicarlo contra el tercero poseedor? o, en otros términos, ¿en qué circunstancias el tercero adquirente está obligado a restituir el inmueble a su propietario y cuándo le está permitido retenerlo?

Responder a estas preguntas supone determinar si cierta acción, la restitución del inmueble, es obligatoria o no, y bajo qué circunstancias. Nos interesa, pues, el estatus normativo de una acción. Diremos que una acción p es obligatoria cuando esté permitida su ejecución y no esté permitida su omisión (Op=df Pp & –P–p); diremos que la acción está prohibida cuando no esté permitida su ejecución y esté permitida su omisión (Vp=df –Pp & P–p); diremos que la acción es facultativa cuando estén permitidas tanto su ejecución como su omisión (Fp=df Pp & P–p). Las expresiones "O", "V", "F" y "P" representan, precisamente, los caracteres normativos.

Un problema normativo puede ser considerado como una pregunta acerca del estatus normativo de ciertas acciones, esto es, su obligatoriedad, prohibición o facultad. Llamamos, según lo anticipado, *universo de acciones* (abreviado UA) al conjunto de todas las acciones cuyo estatus normativo se pretende determinar. En el ejemplo, el universo de acciones se halla compuesto de un sólo elemento, la acción del tercero adquirente que consiste en la restitución del inmueble a su propietario. Para abreviar, llamaremos a esa acción "restitución" y la representaremos con la letra "r". De este modo, resulta que el UA del ejemplo es un conjunto unitario que posee un solo elemento: UA = {r}.

Debemos considerar ahora cuáles son las respuestas posibles al problema planteado. Como la pregunta es normativa (es decir, se refiere al estatus normativo de ciertas acciones), el ámbito de las respuestas posibles a la pregunta formulada se vincula con el ámbito normativo del problema. En el modelo propuesto, Or, Vr y Fr son las soluciones posibles, y el conjunto de todas las soluciones posibles constituye el *universo de soluciones* (para abreviar US); esto es US = {Or, Vr, Fr}. Una respuesta satisfactoria al problema planteado es, pues, una solución del problema. Las normas, precisamente, proveen soluciones para problemas normativos; así, de acuerdo con el modelo, las normas correlacionan casos con soluciones (v.gr. si el adquirente es de mala fe, entonces está obligado a restituir el inmueble al propietario).

Consideraremos como relevantes para el problema planteado las tres circunstancias siguientes: la buena fe del actual poseedor (adquirente), la buena fe del poseedor anterior (enajenante) y el título oneroso del acto de enajenación; características que designaremos con "BFA", "BFE" y "TO", respectivamente. Llamamos *universo de propiedades* (abreviado UP) al conjunto de todas las circunstancias (propiedades) relevantes para el problema; esto es, UP = {BFA, BFE, TO}. Por cierto, la ausencia de una propiedad equivale a la presencia de su propiedad complementaria (la propiedad complementaria es la negación de la propiedad en cuestión; v.gr. −BFA es la propiedad complementaria de BFA y viceversa).

En atención a las circunstancias mencionadas, es posible construir una tabla que presente gráficamente todos los casos posibles, cuyo conjunto será denominado *universo de casos* (abreviado UC) . Dado que en el supuesto existen tres circunstancias (propiedades) relevantes, tendremos 8 casos posibles integrando el UC (por aplicación de la fórmula 2^n, siendo n= 3, resulta 2^3= 8), esto es, UC= {C1, C2,..., C8}. La noción de UC es, pues, según lo anticipado, relativa a la de UP. Indicaremos la presencia de la correspondiente propiedad con el símbolo "+" y la ausencia con el símbolo "−" (ver cuadro comparativo).

Debemos considerar ahora cuáles son las respuestas concretas al problema planteado. El problema que consideramos se hallaba regulado en el Código Civil argentino en sus artículos 2777 y 2778. Estos artículos reconocían su fuente inmediata en los artículos 3877, 3878 y 3882 de proyecto de Código Civil elaborado por el jurista brasileño Texeira de Freitas. Dado que la comparación de ambos sistemas resulta ilustrativa, comenzaremos por la reconstrucción del sistema de Freitas.

El sistema de Freitas, al que denominaremos S1, está integrado por las normas N1, N2, N3 y N4, tales que:

N1: Si no es de buena fe el enajenante, es obligatorio restituir el inmueble

N2: Si no es de buena fe el adquirente, es obligatorio restituir el inmueble

N3: Si la transferencia no es a título oneroso, es obligatorio restituir el inmueble

N4: Si el enajenante es de buena fe, el adquirente es de buena fe y la transferencia a título oneroso, es facultativo restituir el inmueble

Formalizadas estas normas serían como sigue:

N1: –BFE → Or
N2: –BFA → Or
N3: –TO → Or
N4: BFE & BFA & TO → Fr

La norma N1 establece que la restitución es obligatoria en cada caso en que se da la mala fe del enajenante; por lo tanto de esta norma puede inferirse la solución Or para todos aquellos casos en que figure –BFE, que son los casos 2, 4, 6 y 8. En forma similar, de la norma N2 se infiere la solución Or para todos aquellos casos en los que figura –BFA, es decir, para los casos 3, 4, 7 y 8. La norma N3 correlaciona los casos 5, 6, 7 y 8 con la solución Or, es decir, soluciona todos los casos en los que aparece –TO. Finalmente, de la norma N4 se infiere la solución Fr para el caso 1, que es el único que reúne la propiedades BFE, BFA y TO.

Por cierto, para la ubicación de cada caso y su solución correspondiente, véase la representación gráfica del sistema o matriz que se anexa. En ella figuran, en la columna de la izquierda, los ocho casos posibles del UC; las cuatro columnas siguientes corresponden a las cuatro normas del sistema; en las intersecciones de una línea correspondiente a un caso con las columnas de cada norma se colocan las soluciones; las soluciones que se hallan en la misma columna son las que se infieren de la norma a la cual corresponde la columna y las soluciones que se encuentran en la misma línea son las soluciones del caso en cuestión que se infieren del sistema.

A partir de este esquema pueden introducirse las nociones de completitud, coherencia e independencia, y sus nociones opuestas. Diremos que hay una laguna en un sistema cuando en la línea correspondiente a un caso C no aparezca solución alguna; diremos que un sistema normativo es *incompleto* si, y sólo si, tiene por lo menos una laguna; un sistema es *completo* si, y sólo si, no tiene lagunas. Por otro lado, diremos que un sistema normativo es *incoherente* en un caso C si, y sólo si, figuran dos o más soluciones diferentes e incompatibles en la línea correspondiente a C; un sistema es *coherente* si, y sólo si, no existe caso alguno en que el sistema sea incoherente. Por último, diremos que un sistema es *redundante en* un caso C si, y sólo si, figuran dos o más soluciones idénticas en la línea correspondiente a C; un sistema es *independiente* si, y sólo si, no existe caso alguno en el que el sistema sea redundante.

Por lo dicho, el sistema Sl es completo, coherente y redundante (los casos 4, 6, 7 y 8 tienen soluciones reiteradas).

Consideremos ahora un sistema S2, constituido por las normas N3, N4, N5 y N6, tales que:

> N5: Si no es de buena fe el enajenante, es de buena fe el adquirente y la transferencia es a título oneroso, es obligatorio restituir el inmueble
>
> N6: Si no es de buena fe el adquirente y la transferencia es a título oneroso, es obligatorio restituir el inmueble

esto es:

> N5: –BFE & BFA & TO → Or
> N6: –BFA & TO → Or

El sistema S2 es completo, coherente e independiente. Nótese que, a diferencia de S1, S2 es independiente, puesto que las normas del sistema correlacionan cada uno de los casos con una solución (no hay caso alguno que tenga más de una solución, ni hay caso alguno solucionado por más de una norma). A pesar de que las normas de Sl y S2 no son las mismas, las soluciones que proveen son idénticas, lo que permite decir que S1 y S2 son sistemas normativamente equivalentes.

Con el propósito de ejemplificar un sistema incompleto, incoherente y redundante, consideremos ahora un sistema S3, integrado por las normas N2, N3 y N7, tal que

> N7: Si es de buena fe el enajenante y es de buena fe el adquirente, es facultativo restituir el inmueble

es decir,

> N7: BFE & BFA → Fr

Examinando la matriz de S3 puede notarse que es incompleto (el caso 2 carece de solución), incoherente (el caso 5 se halla solucionado de manera distinta con Or y Fr por N3 y N7) y redundante (los casos 7 y 8 tienen soluciones reiteradas por N2 y N3).

Consideremos, finalmente, el sistema del Código Civil argentino, al que denominaremos S4. Dicho sistema se halla integrado por las normas N3 y N5, ya consideradas y formalizadas. La matriz de S4 muestra que resulta incompleto (los casos 1, 3 y 4 carecen de solución), coherente e independiente.

Cuadro comparativo de los sistemas

	UC			S1	S2	S3	S4
	BFE BFA TO			N1 N2 N3 N4	N3 N4 N5 N6	N2 N3 N7	N3 N5
C1.	+ + +			Fr	Fr	Fr	
C2.	– + +			Or	Or		Or
C3.	+ – +			Or	Or Or		
C4.	– – +			Or Or	Or Or		
C5.	+ + –			Or	Or	Or	Or
C6.	– + –			Or Or	Or	Or	Or
C7.	+ – –			Or Or	Or	Or Or	Or
C8.	– – –			Or Or Or	Or	Or Or	Or

10.2. Incoherencia y ordenación de normas

10.2.1. Se afirma que existe incoherencia entre dos normas cuando éstas imputan efectos jurídicos incompatibles a las mismas circunstancias fácticas. Así, la incoherencia depende de dos condiciones: (1) que ambas normas se refieran al mismo caso, y (2) que ellas establezcan soluciones incompatibles para ese caso. En el modelo propuesto esto es: dos normas son incoherentes en un caso C de un universo de casos UC, en relación a un universo de soluciones US, si, y sólo si, ellas correlacionan C con dos o más soluciones distintas de US. Si dos normas no son incoherentes en un caso C, son coherentes en ese caso.

Una técnica muy usada para resolver el problema de la incoherencia entre normas es la ordenación, lo que supone que una norma considerada, por alguna razón, como superior o más importante, prevalece sobre otra, considerada inferior o menos importante. La ordenación del sistema hace posible que el juez dé preferencia a ciertas normas (o conjuntos de normas) sobre otras, y de esta manera deje de lado otras normas (o conjuntos de normas) jerárquicamente inferiores.

La doctrina civil española ha señalado un caso de incoherencia que involucra a los artículos 759 y 799 del Código Civil, los que respectivamente disponen: "El heredero o legatario que muera antes de que la condición se cumpla, aunque sobreviva al testador, no transmite derecho alguno a sus herederos" (artículo 759); "La condición suspensiva no impide al heredero o legatario adquirir sus respectivos derechos y transmitirlos a sus herederos, aun antes de que se verifique su cumplimiento" (artículo 799). Los autores comentan que "ambos artículos, 759 y 799, son, según su tenor literal, absolutamente contradictorios: niega el uno lo que el otro afirma. Es el caso más claro de antinomia legal en el Código Civil" (Lacruz Berdejo et.al. 1993, 244). A partir de allí, en base a consideraciones históricas, la doctrina ha establecido los respectivos ámbitos de aplicación de uno y otro, especificando los casos en los que cada uno de ellos prevalece.

Debe tenerse presente que todo cambio en la ordenación da lugar a un nuevo sistema, aún cuando los elementos (las normas) del sistema permanezcan idénticos, porque las correlaciones de casos con soluciones son diferentes. Como el estatus normativo de una acción puede cambiar como resultado de una ordenación diferente del mismo conjunto de normas, el mismo conjunto puede dar lugar a sistemas diferentes, si ha sido ordenado en forma distinta. El hecho de que, como resultado de una nueva ordenación, el sistema suministre soluciones diferentes para los mismos casos muestra que se trata de un sistema distinto, aunque contenga los mismos elementos.

10.2.2. Según lo explicado, la ordenación exige el empleo de ciertos criterios que permitan establecer las relaciones jerárquicas entre los elementos del sistema. Tales relaciones pueden ser establecidas por el legislador, y hallarse contenidas en las normas jurídicas mismas o determinadas mediante criterios generales basados en la fecha de la promulgación de la norma (criterio cronológico), el rango de la autoridad que dictó la norma (criterio jerárquico) o el grado de generalidad de los contenidos normativos (criterio material) o pueden ser, incluso, impuestas por el juez usando determinados criterios subjetivos de preferencia. Estos criterios tradicionales no son suficientes para solucionar todos los casos posibles de conflicto, por lo que, en ciertas ocasiones, los jueces deben recurrir a otros criterios, basados, por ejemplo, en consideraciones referentes a la justicia u otros valores involucrados en la cuestión.

En efecto, hay situaciones en que pueden darse conflictos entre criterios, a saber: (1) conflicto entre el criterio cronológico y el jerárquico (2) conflicto entre el criterio material y el cronológico, y (3) conflicto entre el criterio jerárquico y el material. El primero se produce cuando una norma anterior-superior es incoherente respecto de una norma posterior-inferior, de modo que, si se aplica el criterio jerárquico, cabe preferir la primera norma, y si se aplica el criterio cronológico, la segunda. En general, se acepta en este supuesto que el criterio jerárquico prevalece sobre el cronológico. El segundo conflicto se produce cuando una norma anterior-especial es incoherente respecto de una norma posterior-general, de modo que, si se aplica el criterio material, cabe preferir la primera norma, y si se aplica el criterio cronológico, la segunda. En este supuesto la cuestión es menos clara, aunque comúnmente se considera prevalente el criterio cronológico, sin que falten ejemplos en sentido contrario. El tercer conflicto se produce cuando una norma superior-general es incoherente respecto de una norma inferior-especial, de manera que, si se aplica el criterio jerárquico, cabe preferir la primera, y si se aplica el criterio material, la segunda. En tal supuesto, habitualmente se considera prevalente el criterio jerárquico. Así, sobre la base del análisis anterior, cabría afirmar que el criterio cronológico cede siempre ante el jerárquico y en ocasiones ante el material; el criterio material cede en ocasiones ante el cronológico y siempre ante el jerárquico; el criterio jerárquico nunca cede ante ambos (Bobbio 1990, 339-353). Todo esto depende, desde luego, de cuestiones contingentes, como la consagración positiva de soluciones, tradiciones judiciales o, incluso, en casos extremos, de consideraciones valorativas, políticas o morales.

10.2.3. Ciertas formas de ordenación han sido estudiadas por Alchourrón-Makinson (1981) y un resultado importante de sus investigaciones ha sido la prueba de que establecer un orden en un sistema (o una modificación en el orden existente) resulta, en algún sentido, una operación equivalente (aunque no idéntica) a la derogación de ciertas normas (esto es, de aquellas normas que resultan descartadas como inferiores o menos importantes).

A pesar de ello, está muy difundida la idea de que la derogación es una operación mucho más importante que la simple ordenación y que, aunque los jueces pueden imponer una nueva ordenación o modificar la existente, no pueden derogar normas legisladas, por las mismas razones que no pueden promulgar nuevas normas. La tesis es que, mientras el sistema contenga los mismos elementos, permanece sustancialmente idéntico, de manera que el juez que "solamente" altera el orden jerárquico de los elementos del sistema no lo cambia y, por tanto, no traspasa los límites de su competencia. En consecuencia, la ordenación jerárquica es considerada como una operación mucho más elástica y menos permanente que la derogación.

Esta idea, sin embargo, es errada y la impresión de que la eliminación de una o varias normas mediante derogación es, de algún modo, más importante y permanente que la imposición de un orden jerárquico sobre un conjunto parece una mera ilusión. En realidad, como bien han probado Alchourrón-Makinson, la modificación de las relaciones ordenadoras es tan importante como la eliminación de elementos. Según lo anticipado, incluso, ambos procedimientos resultan sustancialmente equivalentes, aunque no idénticos: aquellas normas que son dejadas de lado al ser preferidas otras de mayor jerarquía son tan inaplicables (mientras no se modifique el orden establecido) como si estuvieran derogadas; y tampoco hay diferencias mayores respecto de la pretendida permanencia de la derogación, pues una derogación efectuada por el legislador puede tener muy corta duración (v.gr. si el legislador cambia de idea y promulga nuevamente la norma derogada), y un orden jerárquico impuesto por un juez o tribunal puede perdurar si otros jueces lo comparten. Consiguientemente, el factor temporal resulta, en este sentido, irrelevante para la cuestión. No obstante, aunque estas dos operaciones (ordenación y derogación) conducen a resultados sustancialmente idénticos (y esto es lo que justifica decir que son equivalentes), son dos métodos diferentes, aplicados por dos tipos de autoridades: el legislador en el caso de la derogación y el juez en el caso de la ordenación. Ambos sirven, sin embargo, para resolver el mismo problema: el de la incoherencia entre normas de un sistema.

10.3. Incompletitud e integración de lagunas

10.3.1. En estrecha relación con las nociones de redundancia e incoherencia se halla la de incompletitud, la cual queda definida en términos de lagunas. Por lo común, se afirma que un cierto caso constituye una laguna de un determinado sistema, cuando ese sistema no imputa efecto jurídico alguno para ese caso. En nuestro modelo esto es: un sistema S es incompleto en relación a un universo de casos UC y un universo de soluciones US si, y sólo si, tiene una laguna en UC en relación a US. Decir que un caso C de un universo de casos UC es una laguna del sistema S en relación a un universo de soluciones US, significa que en S no se correlaciona C con solución alguna del universo de soluciones US. Por el contrario, cuando un sistema carece de lagunas, se dice que es completo, en el sentido de que suministra una solución para cada uno de los casos del universo de casos: un sistema S es completo en relación a un universo de casos UC y a un universo de soluciones US si, y sólo si, no tiene laguna alguna en UC en relación a US.

El modelo pone en evidencia que no tiene sentido hablar de lagunas sin hacer referencia a un sistema determinado y a un caso determinado, es decir, que las nociones de completitud e incompletitud son relativas a casos y sistemas: un caso puede no estar solucionado por un sistema, pero sí por otro, y, a su vez, un caso puede estar solucionado por un sistema, pero no otro.

También evidencia el modelo que, para no generar lagunas, el legislador debe solucionar todos los casos que él mismo determina al seleccionar ciertas circunstancias como relevantes. Ello explica la afirmación anterior según la cual para determinar si un sistema es completo en relación a ciertos casos (en el sentido de que cada caso de UC está correlacionado con una solución de US), resulta necesario determinar cuáles son todos los casos posibles (todos los casos del UC). No se trata, desde luego, de solucionar todos los casos posibles que la realidad pueda presentar, lo que resulta obviamente imposible, sino de solucionar, simplemente, todos los casos del UC.

Pues bien, se denomina "integración" al procedimiento aplicado para completar un sistema incompleto, eliminando una laguna. El procedimiento consiste en asignar al caso de laguna una solución determinada, esto es, correlacionar C (el caso de laguna) con una solución S del universo de soluciones US. Los métodos que, por excelencia, son empleados en derecho para integrar los sistemas incompletos se basan en la aplicación de los argumentos por analogía ("a simile") o "a contrario", o en la invocación de principios.

La jurisprudencia española ha señalado un caso de laguna en el artículo 774 de la Ley de Enjuiciamiento Civil (LEC). Según su tenor literal, "No será oído contra la sentencia firme el demandado emplazado en su persona que por no haberse presentado en el juicio haya sido declarado en rebeldía. Exceptúase el caso en que acreditare cumplidamente que, en todo el tiempo transcurrido desde el emplazamiento hasta la citación que hubiere causado ejecutoria, estuvo impedido de comparecer en el juicio por una fuerza mayor no interrumpida". El Tribunal Constitucional ha dicho a este respecto: "Un somero análisis de la LEC evidencia que, al regular la audiencia del rebelde en casos de fuerza mayor se ha tenido presente la incidencia de ésta 'desde el emplazamiento hasta la citación para sentencia', pero que no hay previsión alguna para la hipótesis, ciertamente excepcional, de que la fueza mayor perdure incluso después de notificada la sentencia. En esta hipótesis, que sería la del presente asunto, nos hallamos, pues, ante una laguna que debe ser llenada por el intérprete mediante la aplicación analógica de otros preceptos de la misma ley, en los que, como reflejo del principio 'ad imposibilia nemo tenetur', se establece la suspensión de términos o plazos en caso de fuerza mayor" (STC 83/1983).

10.3.2. Se entiende que la analogía consiste en asimilar el caso no resuelto a otro que sí lo está, sobre la base de que ambos casos poseen en común alguna propiedad relevante o bien sobre la base de que responden a un mismo objetivo (*ratio legis*). De este modo, la analogía exige las siguientes condiciones: (1) una norma N que correlaciona un caso Cl con una solución S (2) un caso C2 sin solución correlacionada, y (3) una relación de semejanza entre los casos Cl y C2. Sobre esa base, por medio del argumento analógico se justifica correlacionar el caso C2 con la solución S del caso Cl. El núcleo problemático del argumento radica en la condición (3), específicamente en la relación de semejanza exigida entre los casos considerados. Dicha relación es, a la vez, el soporte del argumento, pues permite pasar "de lo semejante a lo semejante", tratando casos diferentes como si fueran iguales. De este modo, está claro que el procedimiento no puede ser aplicado mecánicamente y que, cuando se lo aplica, deja un amplio margen de discrecionalidad, ya que, en múltiples ocasiones, un número importante de casos guarda semejanza con otro en algún aspecto pero se diferencia de él en muchos otros.

Se ha observado, sin embargo, que en todos los supuestos en que cabe razonar por analogía también cabe la posibilidad de hacerlo "a contrario", y viceversa. Se ha señalado, asimismo, que no cabe emplear ambos argumentos simultáneamente con respecto a un mismo supuesto. La razón es muy sencilla: por medio del argumento "a contrario" se entiende que el legislador no ha querido extender al caso no regulado la solución asignada al caso regulado, es decir, que cuando la ley prevé y da una solución a un caso determinado, se debe entender que el legislador ha pretendido regular de modo diferente cualquier otro caso distinto al contemplado. Así, aunque el argumento a contrario exige casi las mismas condiciones que el argumento analógico, justifica correlacionar el caso de laguna con la solución opuesta a la asignada al caso regulado. Argumentando a contrario, pues, se sostiene que una norma de la forma "Si C, entonces S" debe ser entendida en el sentido de que sólo (exclusivamente) en el caso C la solución es S, siendo ella contraria en todos los demás casos (v.gr. derecho/no derecho, obligación/no obligación).

10.3.3. Por otro lado, se estima que los principios también indican cómo colmar las lagunas. Pero con el término "principio" es necesario andar con cuidado, pues con él se alude a entidades muy diversas, entre las que cuentan: (1) aspectos importantes de un orden jurídico determinado (2) generalizaciones obtenidas a partir de normas de un sistema determinado o de un sector de este (3) objetivos básicos de una norma o un conjunto de normas (4) pautas a las que se atribuye un contenido especial de justicia (5) requisitos formales que todo orden jurídico debe satisfacer (6) pautas dirigidas al legislador con carácter meramente exhortatorio (7) juicios de valor que recogen ciertas exigencias de moral positivas, y (8) máximas generales que provienen de la tradición jurídica (Carrió 1990, 203-208). Obviamente, entre estos usos pueden darse superposiciones, puesto que las acepciones de la lista no son excluyentes. En general, sin embargo, cuando se alude a principios en el contexto de la integración del derecho, se alude, específicamente, a los principios generales del derecho, estándares, pautas o máximas basados en ciertas exigencias fundamentales de justicia y moral positivas (alcance vinculado a las acepciones 4, 7 y 8).

Por lo común, los principios no exigen un comportamiento específico, sino que, según lo anticipado, consagran una exigencia de justicia o equidad o alguna otra dimensión de la moralidad. Y como los principios no establecen condiciones que hagan necesaria su aplicación, ni consecuencias que se sigan directamente de ciertas condiciones, es bastante frecuente que entren en colisión al tiempo de orientar la solución de un caso. Dado que los principios más bien ofrecen una razón para decidir en determinado sentido, sin obligar a una decisión particular, pueden concurrir con otros principios que ofrezcan una razón para decidir en sentido contrario. En tal hipótesis, es necesario tomar en cuenta el "peso" que ellos tienen en el contexto del caso concreto y decidir el conflicto en base a un criterio axiológico de ordenación. El principio considerado inferior, sin embargo, sobrevive intacto, aunque en esa ocasión no prevalezca.

10.4. Redundancia y reformulación de sistemas

Se afirma que existe redundancia cuando una norma establece un efecto jurídico que, en las mismas circunstancias fácticas, está establecido por otra norma. De este modo, la redundancia exige dos condiciones: (1) que ambas normas se refieran al mismo caso, y (2) que ellas establezcan la misma solución para ese caso. De acuerdo con el modelo propuesto, dos normas son redundantes en un caso C de un universo de casos UC, en relación a un universo de soluciones US, si, y sólo si, cada una de tales normas correlaciona C con la misma solución S. Si dos normas no son redundantes en un caso, son independientes en ese caso.

La doctrina española ha señalado que varias normas legales son meras repeticiones de otras constitucionales. Así, por ejemplo, un caso claro de redundancia está dado por el contenido de los artículos 163 de la Constitución y 35.1 de la Ley Orgánica del Tribunal Constitucional. Establece el primero: "Cuando un órgano judicial considere, en algún proceso, que una norma con rango de ley, aplicable al caso, de cuya validez dependa el fallo, pueda ser contraria a la Constitución, planteará la cuestión ante el Tribunal Constitucional (...)"; y reitera el segundo: "Cuando un Juez o Tribunal, de oficio o a instancia de parte, considere que una norma de rango de Ley aplicable al caso y de cuya validez dependa el fallo pueda ser contraria a la Constitución, planteará la cuestión al Tribunal Constitucional (...)" (De Esteban-González 1995, 916).

Se ha observado que la redundancia no tendría por qué crear problemas por sí sola para la reconstrucción y aplicación del derecho, pero que, sin embargo, ello no es así debido a que los juristas se resisten a admitir la posibilidad de que el legislador promulga normas superfluas y, en consecuencia, se esfuerzan por otorgar ámbitos autónomos a normas con soluciones equivalentes. La ideología más extendida entre los juristas rechaza, así, la existencia de redundancias en el lenguaje legislativo y postula que, de haberlas, no serían más que aparentes.

Existe en doctrina, incluso, un argumento especialmente elaborado para el efecto pretendido de evitar la redundancia, argumento denominado, precisamente, "argumento de la no redundancia" o "argumento económico" (ver 9.3.2.). Dicho argumento es aquél por el cual se excluye toda interpretación de una disposición legal que ya haya sido ofrecida (o pueda ser ofrecida) de otra disposición legal. Y ello en base a que, si dicha interpretación no fuera excluida, nos encontraríamos frente a una norma superflua. Se asume, en definitiva, que cada disposición legal debe tener un significado particular y que no puede constituir una mera repetición de otras disposiciones. De este modo, el argumento resulta ser un argumento negativo, en el sentido de que no sirve para atribuir significado a una disposición, sino para descartar un posible significado. El soporte del argumento no es otro más que la creencia dogmática de que el legislador es económico y de que, al elaborar el sistema, tiene presente y en cuenta la totalidad del derecho en vigor.

Sin embargo, admitida la redundancia, es posible reformular el sistema, sustituyendo su base original por otra. La reformulación del sistema requiere, pues, encontrar una nueva base, normativamente equivalente a la anterior, pero más económica que ella. Esto exige, en suma: (1) que la nueva base prevea las mismas soluciones que la original en cada uno de los casos, y (2) que la nueva base prevea sólo una solución para cada uno de los casos. Por lo común, se considera que la sustitución de una base por otra más económica pero normativamente equivalente constituye una ventaja en función del manejo del sistema, en particular cuando el número de elementos de la base es muy elevado. La importancia de esta operación es doble: por un lado, al reducir el número de normas de la base, resulta más fácil comprender y manejar el contenido del sistema y, por otro, al eliminar la redundancia, mejora la presentación del sistema.

11

Aplicación de normas
y resolución de casos

11.1. Un modelo de la resolución de casos

11.1.1. En el contexto de la función jurisdiccional aparecen tres elementos que configuran el marco de la decisión judicial: (1) la situación fáctica, tal como ella es percibida por los participantes (2) los valores predominantes del núcleo social en el que se produce aquella situación, y (3) las normas jurídicas en vigor en la sociedad considerada. Todos estos elementos se encuentran fuertemente relacionados entre sí: por un lado, los valores predominantes tienden a convertirse en contenido de las normas jurídicas y tanto aquéllos como éstas influyen normalmente en la situación de hecho, aunque también los hechos introducen modificaciones paulatinas en los valores y las normas; y, por otro, las normas tienen habitualmente poder suficiente para modificar el sistema de valores que rige en la sociedad. En el siguiente esquema puede mostrarse gráficamente lo anterior (Guibourg-Alende-Campanella 1996, 185).

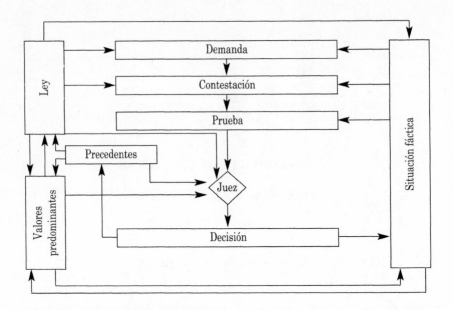

En la secuencia establecida para los procesos, la demanda o acusación da lugar a la contestación o defensa, ambas basadas en la ley y en los hechos, pero del modo como ellos son vistos por las partes (o, para ser más precisos, del modo como las partes pretenden que los vea el juzgador). Establecida la materia sobre la que versará el litigio, es preciso para ambas partes extraer de la situación fáctica las pruebas conducentes al respaldo de su posición, de modo a reconstruir y describir la situación considerada. Reunidos los elementos disponibles, el órgano decisor se halla en condiciones de cumplir con su función y decidir el caso; es obvio que, en tal situación, el juzgador se encuentra condicionado por la ley (tal como él la interpreta y conoce), por los valores a los que adhiere (generalmente en forma coincidente con los predominantes en la sociedad, aunque con eventuales disidencias o distinciones individuales) y por los precedentes (tal como él los selecciona y entiende, y en la medida en que se siente vinculado por ellos). Con tal conjunto de criterios, el juzgador examina las pruebas y selecciona las normas jurídicas aplicables al caso, emitiendo su decisión acerca del litigio que le fuera sometido (Guibourg-Alende-Campanella 1996, 185-7).

11.1.2. Sobre esta base, los problemas concretos planteados por el proceso decisorio pueden clasificarse en dos tipos: (1) problemas relativos a la prueba de los hechos (*quaestio facti*), y (2) problemas relativos a la aplicación de las normas (*quaestio iuris*). Tales problemas pueden resumirse del siguiente modo (Guibourg-Alende-Campanella 1996, 172-8):

(1) *Prueba de los hechos.* La correspondencia entre los segmentos jurídicamente relevantes de la realidad y la descripción que de ella se efectúe en el razonamiento jurídico para servir de estímulo y ocasión a la aplicación de las normas es uno de los problemas clásicos de la decisión judicial. En la determinación de la *quaestio facti*, el juzgador depende de las pruebas, elementos emanados directa o indirectamente de la realidad a investigar y que, apreciados por aquél, lo conducen a aceptar que dicha realidad ha tenido determinadas propiedades.

Aunque, en principio, no existen limitaciones a la naturaleza de las pruebas, la experiencia jurídica ha terminado por agruparlas en ciertas clases tradicionales (confesoria, testimonial, pericial, etcétera). Existen, sin embargo, limitaciones de otro tipo: ninguno de esos medios resulta infalible, hasta el punto que se acepta cierta distinción entre dos formas de verdad: la verdad "formal" y la verdad "real"; toda prueba puede contener errores, voluntarios o involuntarios; existen plazos y formalidades para la producción y recepción de las pruebas, restricciones que pueden excluir elementos de juicio decisivos para la determinación de la verdad; la descripción de la realidad que haya de aceptarse no depende de una sola prueba, sino de la evaluación que el juzgador efectúe de un conjunto más o menos complejo de elementos. La apreciación de la prueba es, así, una actividad compleja sujeta a ciertos criterios, no siempre únicos, ni explícitos, ni claros, ni jerarquizados: la apreciación de la prueba se halla librada a la experiencia del juzgador, que la ejerce dentro de ciertos parámetros, generalmente dotados de consenso, aunque no exentos de controversias en los casos individuales.

Por lo común, existe además un conjunto de normas jurídicas que limita a las partes en disputa la consideración de ciertas evidencias, debiendo el decisor aplicar tales normas para asegurar que las alegaciones puedan evaluarse justamente. Estas normas, relativas a la producción, admisión y consideración de la prueba, intentan proteger, en definitiva, la integridad del proceso y, en ocasiones, pueden impedir el alcance de la verdad. La justicia del proceso es, desde luego, de la mayor importancia y justifica que se impongan ciertos límites al proceso de investigación: la justicia cuenta en el derecho como algo tan valioso como la verdad.

(2) *Aplicación de las normas.* La aceptación de determinada descripción parcial de la realidad está lejos de resolver el problema normativo del proceso decisorio; en rigor, apenas sirve para plantearlo. Los problemas se extienden, de ese modo, a la *quaestio iuris.*

Para aplicar una norma, lo primero que se hace es tomar conocimiento de ella. Como las normas se hallan expresadas en lenguajes naturales y, por lo tanto, plagadas de dificultades, su ámbito de aplicación resulta generalmente discutible. La vaguedad y la ambigüedad, por ejemplo, no siempre permiten distinguir de modo inequívoco el sentido pretendido de una determinada formulación de norma. Se suma a ello la circunstancia de que el legislador deposita en los textos legales sus propios desaciertos, como erratas, omisiones y falsas presuposiciones. Estas insuficiencias son generalmente cubiertas por la interpretación, actividad para la que no existen procedimientos objetivos e infalibles. Toda interpretación es, así, en definitiva, una propuesta de lectura y, por plausible que parezca, casi siempre enfrenta alguna alternativa, cuya fuerza no depende tanto ni tan sólo de la claridad de la formulación normativa, sino también de la importancia de los intereses en juego.

Luego se plantea el problema de la determinación de las normas aplicables al caso. De lo que se trata entonces es de seleccionar, en base a determinados criterios, ciertas normas de un conjunto de normas dado. Los criterios empleados pueden tener diferente origen (legal, jurisprudencial, doctrinal) pero, cualquiera que sea su fuente, permiten la selección de ciertas normas a los efectos de la resolución del litigio sometido. Tal selección no está exenta, desde luego, de controversias, pues los criterios no siempre son estables y objetivos, cuando los hay.

11.2. Probar, deducir, inducir

11.2.1. Si bien en la investigación judicial las afirmaciones relativas al carácter probatorio de los datos proporcionados por la evidencia frecuentemente son expresadas sin vacilaciones y con un amplio acuerdo de opinión, no puede afirmarse que ellas se basen en una teoría explícita y sólida que suministre criterios generales de prueba. En lo sustancial, la teoría del derecho no ha conseguido ofrecer una construcción satisfactoria que proporcione reglas generales de prueba de las proposiciones involucradas en procesos decisorios, a pesar de los avances realizados. A grandes rasgos, sin embargo, es posible detectar en la teoría del derecho dos concepciones diferentes de la prueba judicial, concepciones a las que denominaré "deductivista" e "inductivista", respectivamente:

(1) *Concepción deductivista.* De acuerdo con la primera concepción, la proposición p está probada en base a la evidencia E si, y sólo si, p se deduce lógicamente de E.

Esta parece ser la concepción defendida por Wróblewski al sostener que "la expresión 'E' está probada en la lengua L cuando es consecuencia de las pruebas aceptadas P1, P2, ... Pn, según las directivas de prueba D1, D2, ... Dn"; "la proposición en cuestión no estará probada más que cuando sea una inferencia de las pruebas P1, P2, ... Pn, que son proposiciones verdaderas en la lengua L" (Wróblewski 1989, 174).

(2) *Concepción inductivista.* De acuerdo con la segunda concepción, la proposición p está probada en base a la evidencia E si, y sólo si, p es altamente probable en relación a E.

A esta idea apunta Ferrajoli cuando sostiene que "la verificación fáctica en el proceso [judicial] es el resultado de una ilación entre hechos 'probados" del pasado y hechos 'probatorios' del presente y que esta ilación (...) tiene la forma de una inferencia inductiva, donde las premisas vienen constituidas por la descripción del acontecimiento que se ha de explicar y de las pruebas practicadas, mientras que la conclusión viene constituida por la enunciación del hecho que se considera probado por las premisas"; "la verdad de las premisas de la inducción nunca implica la verdad de la conclusión, pues si las premisas son verdaderas no se da necesidad lógica alguna, sino sólo una relevante probabilidad de que sea verdadera (y ninguna contradicción o imposibilidad sino sólo una improbabilidad de que sea falsa" (Ferrajoli 1989, 129-30).

11.2.2. Es tradicional la división de los razonamientos y argumentos en dos tipos diferentes: (1) deductivos, y (2) inductivos. Cada tipo de argumento supone la afirmación de que sus premisas proporcionan razones o fundamentos para establecer la verdad de su conclusión, pero sólo un argumento deductivo tiene la pretensión de que sus premisas proporcionan un fundamento concluyente para su conclusión. Cuando el razonamiento en un argumento deductivo es correcto, lo denominamos "válido"; por el contrario, cuando el razonamiento de un argumento deductivo es incorrecto, lo denominamos "inválido". Podemos definir "validez" entonces como sigue: un argumento deductivo es válido cuando sus premisas, de ser verdaderas, proporcionan bases concluyentes para la verdad de su conclusión. En un argumento deductivo, pero no en un argumento inductivo, las premisas y la conclusión se hallan relacionadas de tal modo que resulta absolutamente imposible que las premisas sean verdaderas y la conclusión no lo sea. En todo argumento deductivo, o bien las premisas apoyan realmente a la conclusión, de manera concluyente y definitiva, o no ofrecen ese apoyo. Por tanto, cada argumento deductivo es o bien válido o inválido. Este constituye un punto relevante: si un argumento deductivo no es válido, debe ser inválido.

Un argumento inductivo, en cambio, tiene una pretensión diferente: no pretende que sus premisas sean fundamentos para la verdad de su conclusión, sino solamente que sus premisas proporcionen cierto apoyo a su conclusión. Consiguientemente, los argumentos inductivos no pueden ser calificados como "válidos" o "inválidos", en el sentido en que estos términos se aplican a los argumentos deductivos; los argumentos inductivos pueden ser evaluados como "fuertes" o "débiles", de acuerdo con el grado de apoyo que proporcionan sus premisas a sus conclusiones. Así, cuanto mayor sea la probabilidad que sus premisas confieran a la conclusión, mayor será el mérito de un argumento inductivo. Pero esa probabilidad, aun cuando las premisas sean todas verdaderas, estará bastante lejos, en general, de la certeza.

11.2.3. La diferencia fundamental entre estos dos tipos de argumentos radica, por tanto, en la relación entre premisas y conclusión. Los argumentos deductivos son aquellos en los cuales se afirma la existencia de una relación muy estrecha y rigurosa entre premisas y conclusión. Si un argumento deductivo es válido, entonces, dada la verdad de sus premisas, su conclusión será *necesariamente* verdadera, sin importar qué otra cosa sea cierta.

Pero la relación entre las premisas y la conclusión afirmada por un argumento inductivo, en el mejor de ellos, es mucho menos estricta y de un tipo muy diferente: si un argumento inductivo es fuerte, entonces, dada la verdad de sus premisas, su conclusión será más *probablemente* verdadera que falsa. Añadir nuevas premisas, sin embargo, puede dar como resultado una variación sustancial en la fuerza del argumento, haciéndolo más fuerte o más débil, dependiendo de las premisas añadidas.

De este modo, la fuerza de la afirmación acerca de la relación entre las premisas y la conclusión del argumento constituye el punto clave de la diferencia entre los argumentos deductivos e inductivos: en un argumento deductivo se afirma que la conclusión se sigue de las premisas con necesidad absoluta e independientemente de cualquier otro hecho que pueda suceder en el mundo y sin admitir grados; en contraste, en un argumento inductivo se afirma que la conclusión se sigue de sus premisas solamente de manera probable, y esta probabilidad admite graduación y depende de otras cosas que pueden suceder o no.

Pero, aunque tratamos los dos tipos de razonamientos y argumentos de manera separada, porque sus principios básicos pueden ser comprendidos más fácilmente de esa forma, lo cierto es que la mayor parte de los razonamientos de la vida cotidiana y la actividad judicial son una mezcla de deducción e inducción, y al abordar problemas reales se deben usar ambos tipos en forma combinada. Con frecuencia comenzamos con el razonamiento inductivo, usamos las conclusiones inductivas como premisas de razonamientos deductivos, integramos las conclusiones deductivas con resultados inductivos adicionales, deducimos nuevas conclusiones, y así sucesivamente. El producto final es, comúnmente, una mezcla de elementos deductivos e inductivos estrechamente ligados. En las controversias jurídicas, por cierto, la solidez de este producto es lo que determina el éxito o el fracaso.

11.2.4. El razonamiento primario en derecho, en materia probatoria, es inductivo. En general, en derecho, como en muchos ámbitos del conocimiento, se emplea determinado método de investigación: se identifica el problema, se proponen hipótesis preliminares, se recogen datos, se formula una hipótesis explicativa, se ponen a prueba las consecuencias de esa hipótesis y se aplican luego los resultados en la práctica. De ese modo, los decisores de un problema jurídico, encargados de determinar los hechos del caso, se ven confrontados con varias explicaciones incompatibles de un conjunto dado de eventos; reciben para su consideración una masa considerable de evidencias (documental, testimonial, pericial, etcétera); al abrir y cerrar las partes sus respectivos alegatos, se presentan hipótesis en conflicto sobre la importancia y coherencia de la evidencia presentada. Las decisores tienen, así, la tarea de seleccionar, de las hipótesis alternativas ofrecidas por los litigantes, la que mejor explica la masa de evidencias aportada. Desde luego, si todas las circunstancias de hecho de un caso en disputa fueran acordadas por las partes, no sería necesario, en principio, producir pruebas. En esas investigaciones nunca se tiene, desde luego, todas las evidencias, ni se cuenta con certeza absoluta. Pero con un razonamiento cuidadoso se logra llegar muchas veces a soluciones confiables de los problemas en discusión.

La cuestión central radica en la caracterización del peso necesario de la evidencia para considerar algo probado. En general, se estima que el peso de la prueba que se aplica depende del tipo de caso y de las circunstancias que le rodean. En determinados sistemas, se considera que el peso de la evidencia en procesos penales debe ser mayor que en procesos civiles: algunos han representado el estándar de valoración de la prueba en procesos civiles en una probabilidad superior al 0,5 (50%) en una escala del 0 al 1, entendiendo por probabilidad los gra-

---

1. Es sabido que existen al menos tres conceptos distintos de probabilidad: (1) probabilidad como medida de creencia: la probabilidad que puede asignarse a un evento depende del grado en que un sujeto racional crea que puede ocurrir; (2) probabilidad como frecuencia relativa: la probabilidad que puede asignarse a un evento depende de la relación entre el número de casos favorables a ese evento y la cantidad de casos posibles; (3) probabilidad como frecuencia de verdad: la probabilidad que puede asignarse a una proposición (relativa a un evento) depende de la frecuencia relativa con que una clase de inferencia conduce, a partir de premisas verdaderas, a conclusiones verdaderas.

dos de creencia (probabilidad subjetiva)[1]; el estándar de valoración en procesos penales no ha sido descrito cuantitativamente por los juristas, pero se estima que en una cuestión criminal no puede utilizarse ese valor mínimo apenas superior a 0,5 como base de la decisión, en función de los bienes en juego, debiendo tal valor ser significativamente mayor que 0,5 y muy cercano a 1. En otros sistemas, en cambio, el estándar de valoración de la prueba es el mismo en todos los procesos.

Sobre base similar a la anterior, propuse en otra ocasión la definición de los términos básicos de este esquema conceptual ("probado", "disprobado" y "neutral") del siguiente modo ("probado" se abrevia a continuación mediante "Pro", "disprobado" mediante "Dis" y "neutral" mediante "Neu"; el indicador "i" determina el contexto inductivo de prueba; "p" representa la proposición objeto de prueba, "E" la evidencia disponible y "Pr" la probabilidad):

$$Pro(p,E)i =df\ 0,5 < Pr(p,E) \leq 1$$
$$Dis(p,E)i =df\ 0,5 < Pr(-p,E) \leq 1$$
$$Neu(p,E)i =df\ 0,5 = Pr(p,E)$$

De acuerdo con las definiciones anteriores, una proposición p está probada inductivamente en base a cierta evidencia E si, y sólo si, la probabilidad de p en base a E es mayor que 0,5 e igual o menor a 1; una proposición p está disprobada inductivamente en base a cierta evidencia E si, y sólo si, la probabilidad de la negación de p en base a E es mayor que 0,5 e igual o menor que 1; una proposicion p es neutral inductivamente en base a cierta evidencia E si, y sólo si, la probabilidad de p en base a E es igual a 0,5 (Mendonca 1997, 84-5).

Los inductivistas señalan con razón que no existe criterio alguno, formulable de manera general y abstracta, para establecer el grado objetivo de probabilidad de una proposición respecto de cierta evidencia. Pero, aunque no es posible la valoración objetiva en tal sentido –afirman– es posible, sin embargo, la valoración subjetiva de la probabilidad de una proposición en relación a la evidencia disponible (Ferrajoli 1989, 148-9). En realidad, la inferencia probable, como toda inferencia, se basa en ciertas relaciones entre proposiciones: ninguna proposición es probable en sí misma, sino en relación a otras que actúan como elementos de juicio en su favor.

Que una proposición tenga un cierto grado de probabilidad sobre la base de determinada evidencia no depende del estado mental del sujeto que la enuncia; una inferencia sólo es probable en la medida en que pertenece a una clase de inferencias, en la cual la frecuencia con que las conclusiones son verdaderas es una proporción determinada de la frecuencia con que lo son las premisas. Puesto que la probabilidad de una proposición no es una característica intrínseca de ella, la misma proposición puede tener grados diferentes de probabilidad, según la evidencia que se ofrezca en su apoyo, y la evidencia que se ofrezca en su apoyo puede tener distintos grados de importancia. En general, se elige aquella evidencia que aumenta su probabilidad, aunque la importancia de la evidencia no pueda ser determinada exclusivamente sobre bases formales. Si bien la medida de la probabilidad de una inferencia supone la frecuencia relativa con que a partir de premisas verdaderas este tipo de inferencia conduce a conclusiones verdaderas, lo cierto es que en la mayoría de los casos no se conoce su valor numérico definido; es decir: en comparación con el número de casos en los que consideramos probable una proposición sobre la base de cierta evidencia, el número de casos en que estamos en condiciones de determinar la magnitud exacta de tal probabilidad es relativamente pequeño. Ello, sin embargo, no anula la idea de que podemos definir la probabilidad en general sin disponer, en un caso dado, de elementos de juicios adecuados para determinar su valor numérico (Cohen-Nagel 1961, 184-5).

Ciertos métodos inductivos han obtenido relevancia prominente en el ámbito del derecho. Recientemente ha habido un incremento sustancial en la atención prestada a los usos de la probabilidad y la estadística en procesos decisorios. La penetración de la estadística y el cálculo de probabilidades en el mundo de la ciencia ha impulsado a los hombres de derecho a utilizarla en sus argumentaciones. Este movimiento se ha iniciado en Estados Unidos y Canadá, y no resulta extraño que se extienda a otros países desarrollados. Un ejemplo claro de ello es la aplicación del análisis bayesiano a la investigación de la paternidad; la aplicación del estudio de ADN a la investigación de la paternidad permite afirmar la paternidad de un sujeto respecto de otro con probabilidad de error mínima y con valor objetivo de 0,9 sobre 1 (Gutiérrez 1993, 268-283). Si la probabilidad es un procedimiento auténtico para medir la incertidumbre, cabe pensar que pueda emplearse en las controversias jurídicas. Sin embargo, de hecho, la utilización de la evidencia probabilística en el derecho sigue siendo cuestión controvertida.

11.2.5. Nada de esto supone, sin embargo, que la deducción no cumpla, en materia probatoria, un papel importante en el razonamiento judicial. Según lo anticipado, la mayor parte de los razonamientos de la actividad judicial son una mezcla de deducción e inducción, y al abordar problemas reales se usan ambos tipos en forma combinada: frecuentemente comenzamos con el razonamiento inductivo, usamos las conclusiones inductivas como premisas de razonamientos deductivos, integramos las conclusiones deductivas con resultados inductivos adicionales, deducimos nuevas conclusiones, y así sucesivamente. De este modo, es verdad que, como postulan los defensores de la concepción deductivista, una vez seleccionadas ciertas proposiciones en base a determinados criterios de prueba, se tienen por probadas aquellas que se infieran deductivamente de ellas: "la proposición en cuestión –dice, por ejemplo, Wróblewski– no estará probada más que cuando sea una inferencia de las pruebas (...), que son proposiciones verdaderas en la lengua L" (Wróblewski 1989, 174). A partir de allí, es posible ajustar las definiciones ofrecidas de los términos considerados ("probado", "disprobado" y "neutral"), del siguiente modo (el indicador "d" determina el contexto deductivo de prueba; los símbolos "ϵ" y "$\notin$" representan "pertenencia" y "no pertenencia" a E, respectivamente):

$$\text{Pro}(p,E)d =df\ p \in E$$
$$\text{Dis}(p,E)d =df\ {-}p \in E$$
$$\text{Neu}(p,E)d =df\ (p \notin E)\ \&\ ({-}p \notin E)$$

De acuerdo con las definiciones anteriores, una proposición p está probada deductivamente en base a cierta evidencia E si, y sólo si, p pertenece a las consecuencias lógicas de E (p se deduce de E); una proposición p está disprobada deductivamente en base a cierta evidencia E si, y sólo si, la negación de p pertenece a las consecuencias lógicas de E (la negación de p se deduce de E); una proposición p es neutral deductivamente en base a cierta evidencia E si, y sólo si, p no pertenece a las consecuencias lógicas de E y la negación de p no pertenece a las consecuencias lógicas de E (p no se deduce de E y la negación de p no se deduce de E) (Mendonca 1997, 84-5).

Debe quedar claro que la evidencia constituye, en esta reconstrucción, un conjunto de proposiciones acerca de los hechos del caso, conjunto que contiene todas sus consecuencias lógicas. A diferencia de la reconstrucción tradicional, los elementos de juicio que constituyen la evidencia disponible no son propiamente hechos, sino descripciones de hechos (proposiciones). Como tales, son aportadas al proceso de forma muy variada (declaraciones testificales, informes periciales, descripciones judiciales, etcétera), de acuerdo con las normas procesales que específicamente regulan cada medio de prueba. Así, tampoco se prueban hechos sino proposiciones (afirmaciones, alegaciones) acerca de hechos. Wrobléwski anticipó esta observación con claridad: "la evidencia judicial –dijo– puede describirse formalmente como una serie finita de enunciados probatorios que justifican el demostrandum, de conformidad con las reglas de evidencias aceptadas"; "los enunciados probatorios son enunciaciones lingüísticas de testigos y de expertos, contenidos de documentos, enunciados de las propias percepciones del juez *y las inferencias lógicas de todos estos enunciados* (Wrobléwski 1989, 210; las cursivas son mías). Esta idea parece especialmente fructífera: la evidencia, como conjunto de proposiciones, configura un sistema deductivo.

11.3. Resolver, justificar, aplicar

11.3.1. Como la actividad jurisdiccional persigue diversos propósitos, parece conveniente distinguir al menos dos tipos de procesos, no necesariamente excluyentes, vinculados con problemas diferentes: (1) procesos declarativos y (2) procesos normativos (Alchourrón-Bulygin, 1971, 205-8).

(1) *Procesos declarativos.* Los procesos declarativos se hallan dirigidos a resolver problemas de clasificación acerca de si cierto caso individual pertenece o no a cierto caso genérico. Consiguientemente, cuestiones relativas a preguntas de la forma "¿Pertenece el caso individual I al caso genérico G?" sólo pueden concluir con respuestas positivas o negativas como "El caso individual I pertenece al caso genérico G" o "El caso individual I no pertenece al caso genérico G". Estos son, por ejemplo, los

procesos en los que se discute la validez de los contratos, la filiación de las personas, la vocación hereditaria, la prescripción de las obligaciones o la inconstitucionalidad de las leyes.

(2) *Procesos normativos.* Los procesos normativos, en cambio, están dirigidos a resolver problemas normativos, es decir cuestiones vinculadas con la calificación normativa de determinadas acciones. En tales procesos se ventilan preguntas como "¿Es obligatoria (prohibida o facultativa) la acción A?" y, por consiguiente, las únicas respuestas adecuadas a ellas exigen la formulación (emisión) de normas por parte de los jueces que entienden en éstos. Es importante insistir en que las respuestas contenidas en los fallos que resuelven estas controversias consisten en normas y no en proposiciones normativas: los jueces no informan acerca de las soluciones suministradas por el sistema jurídico de referencia para el caso particular, sino que expresan normas individuales que obligan, prohiben o facultan determinadas acciones derivadas de normas generales dictadas al respecto. Estos son, por ejemplo, los procesos en los cuales actor y demandado discuten acerca de si el segundo está obligado o no a ejecutar la acción pretendida por el primero o, análogamente, aquellos procesos penales en los que el acusador sostiene que el acusado ha ejecutado una acción que reputa delictiva y solicita, consecuentemente, la aplicación de la pena correspondiente.

11.3.2. El deber de resolver las controversias judiciales posee así dos sentidos diferentes, según sea el tipo de proceso de que se trate. En cada uno de ellos, esa obligación genérica se traduce en obligaciones específicas variables en relación a hipótesis diversas.

(1) *Sentencias declarativas.* En el caso de los procesos declarativos, si el actor pretende que se declare que un determinado caso individual pertenece a un determinado caso genérico y el juez considera que es así, debe hacer lugar a la demanda y formular la declaración pretendida en tal sentido; si llega a la conclusión contraria, en cambio, debe rechazar la demanda y formular la declaración inversa, esto es, que el caso individual no pertenece al caso genérico.

(2) *Sentencias normativas.* Tratándose de sentencias normativas, es necesario distinguir diferentes situaciones a fin

de determinar las relaciones existentes entre el carácter normativo de las conductas de los sujetos partes y de los jueces competentes en la aplicación del derecho. Esta cuestión ha sido tratada con suficiente rigor por los autores, aunque no siempre con resultados coincidentes en todas las hipótesis (véase Kelsen 1960, 251-4 y Alchourrón-Bulygin 1971, 215-7).

(a) *Conducta obligatoria.* Si la conducta del demandado sobre la que versa la cuestión sometida a decisión del tribunal es obligatoria (i.e. el demandado tiene la obligación de llevarla a cabo), el juez tiene el deber de condenarlo a ejecutar dicha acción, haciendo lugar a la demanda.

(b) *Conducta facultativa.* En cambio, si la conducta del demandado sobre la que versa la cuestión sometida a decisión del tribunal es facultativa (está permitida su ejecución y su omisión) el juez debe rechazar la demanda, pues a aquél le está permitido abstenerse de hacer lo que el actor pretende que haga.

(c) *Conducta prohibida.* La misma solución anterior debe darse para el caso de que la conducta del demandado sobre la que versa la cuestión esté prohibida, pues si el acto está prohibido, ello implica que su omisión está permitida y, por consiguiente, el juez debe rechazar la demanda, reconociendo el derecho del demandado de abstenerse de ejecutar la acción pretendida.

(d) *Conducta no regulada.* Por último, si la cuestión sometida a decisión del tribunal no se halla específicamente regulada por el sistema, es necesario determinar si dicho sistema posee o no una norma de clausura declarando permitidas todas las acciones no reguladas por él. Si existe una norma con tal característica, caeremos en la situación reflejada en el caso (b), relativo a las conductas facultativas. En cambio, si el sistema carece de dicha norma de clausura y la conducta del demandado resulta indeterminada normativamente por el sistema, el juez no tiene obligación específica alguna, sino sólo la obligación genérica de resolver (haciendo lugar a la demanda o rechazándola alternativamente).

11.3.3. También el deber de fundar los fallos judiciales adquiere sentidos diferentes según el tipo de cuestión de que se trate, de manera que dicha tarea se traduce en operaciones diferentes en procesos declarativos y procesos normativos. Consiguientemente, por las características propias de cada tipo de proceso, se hace necesario distinguir al menos dos modelos distintos de justificación: (1) modelo declarativo y (2) modelo normativo.

(1) *Modelo declarativo*. Hemos dicho antes que los procesos declarativos se hallan dirigidos a resolver problemas de clasificación acerca de si cierto caso individual pertenece o no a cierto caso genérico. Esta operación se presenta en el derecho bajo la denominación difundida de "subsunción".

En tal sentido, se han distinguido dos sentidos diferentes de la expresión "subsunción", y acuñado la denominación de "subsunción individual" y "subsunción genérica" para cada uno de ellos. Por *subsunción individual* se entiende el problema de la determinación de la verdad de ciertos enunciados individuales contingentes de la forma "a es F" (Fa), donde "F" representa un predicado del lenguaje y "a" el nombre de un objeto individual. La resolución de este problema exige determinar si el objeto individual posee la propiedad designada por el predicado en cuestión. Por *subsunción genérica*, en cambio, se entiende el problema de determinar la relación existente entre dos predicados, de modo que la discusión versa sobre un enunciado metalingüístico acerca de predicados de la forma "F está incluido en G" (F<G), donde "F" y "G" son predicados. No debe perderse de vista que las reglas semánticas que determinan el significado de esos predicados son ya existentes (si existe un uso establecido) o bien deben ser estipuladas por el juez por vía de interpretación. Así, se ha insistido en señalar que, en lo posible, los jueces deben emplear los términos jurídicos con los significados que ellos poseen en el lenguaje técnico o en el lenguaje natural y no atribuirles significados ajenos a los que les corresponden en esos contextos (Alchourrón-Bulygin 1991, 308-9 y 1971, 212).

Es común en la legislación civil la disposición conforme a la cual los contratos contrarios a la moral (contratos inmorales) son nulos. Sobre esa base, se plantea el problema de los llamados "contratos pornográficos", convenios en virtud de los cuales un sujeto se obliga a participar en un film pornográfico mediante remuneración. La cuestión consiste en determinar el alcance de los predicados "contratos inmorales" y "contratos pornográficos" y decidir si éstos se hallan subsumidos (o no) en aquéllos: si los contratos pornográficos son inmorales, son nulos, y si los contratos pornográficos no son inmora les, no son nulos. Cosa similar sucede con los llamados "contratos de mancebía", convenios en virtud de los cuales un sujeto se obliga a mantener relaciones sexuales con otro con cierta periodicidad y durante cierto tiempo; de nuevo, si los contratos de mancebía son inmorales, son nulos, y si los contratos de mancebía no son inmorales, no son nulos. Como se ve, la cuestión radica en estos supuestos en determinar el alcance de los predicados en uso ("contratos inmorales", "contratos pornográficos", "contratos de mancebía") y en clasificar cierto individuo (el contrato entre dos sujetos determinados) dentro o fuera de las clases consideradas.

La justificación de los fallos judiciales en procesos declarativos supone, básicamente, resolución de problemas semánticos, dado que la principal dificultad consiste en identificar las propiedades designadas por las expresiones que figuran en los textos legales (Alchourrón-Bulygin 1971, 211-2). Una fuente adicional de dificultades para la resolución de estos casos radica en la falta de información acerca de las circunstancias de hecho relevantes. En muchas ocasiones los jueces carecen de información acerca de ciertos datos que resultan necesarios para decidir sobre las cuestiones sometidas. Si las partes discreparan a este respecto, sería necesario someter a prueba la cuestión. De este modo, además de dificultades semánticas, los jueces deben atender cuestiones fácticas para decidir en procesos declarativos.

No debe pensarse que la operación de subsunción es exclusiva de este modelo, puesto que también es requerida en el modelo normativo. En ese modelo, es necesario subsumir el caso individual en algún caso genérico, determinar la solución que el sistema asigna a tal caso genérico y, a partir de ella, derivar la solución para el caso individual. Por consiguiente, el problema de la subsunción reaparece en el modelo normativo dentro de un esquema de justificación más complejo.

(2) *Modelo normativo.* En el ámbito de las ciencias empíricas se concibe a una *explicación* como un razonamiento deductivo cuyas premisas son *leyes* universales y determinadas proposiciones singulares, denominadas "condiciones iniciales", que expresan afirmaciones acerca de hechos concretos, y cuya conclusión es una proposición que describe el fenómeno que se pretende explicar. A tal conjunto de leyes y condiciones iniciales, que conforman las premisas del razonamiento, se denomina *explanans* (lo que explica) y a la conclusión *explanandum*

(lo que debe ser explicado). Como figuran en las premisas leyes generales (o enunciados nomológicos, como también se los denomina) que expresan ciertas regularidades, y como el explanandum se deduce del explanans, se afirma que configuran un modelo explicativo *nomológico-deductivo* (Hempel 1965, 247-293).

En el ámbito de las ciencias normativas la situación es, en cierto sentido, muy similar. En ese contexto, sin embargo, se pretende *justificar* las acciones humanas y no explicarlas. Lo que interesa, en concreto, es el estatus normativo de una acción determinada, de acuerdo con cierto sistema de normas. No se interroga, pues, por qué un sujeto determinado ejecutó cierta acción, sino por qué el sujeto en cuestión debe, no debe o puede ejecutarla, dado que lo primero supondría la pretensión de indicar los motivos que determinaron causalmente la conducta. De este modo, justificar normativamente la calificación deóntica de una acción mediante un sistema de normas consiste en mostrar que de dicho sistema se infiere la obligación, la prohibición o la permisión de la conducta de referencia. Cabe aclarar, pues, que, en rigor, lo que un sistema normativo justifica no es la conducta, sino la calificación normativa de la conducta y, por consiguiente, no debe perderse de vista que la afirmación de que una conducta está justificada por un sistema normativo significa que de ese sistema se infiere (se deduce) una calificación deóntica (obligatorio, prohibido, permitido) para la conducta en cuestión (Alchourrón-Bulygin 1971, 229-230).

En este contexto, *justificar* o *fundar* una decisión consiste, a grandes rasgos, en construir un razonamiento deductivo válido, entre cuyas premisas figura una norma general y cuya conclusión es la decisión, de tal manera que el fundamento principal de la decisión es la norma general de la que aquélla es un caso de aplicación. Consiguientemente, entre el fundamento y la decisión existe una relación lógica, no causal, de modo que una decisión fundada es aquella que se deduce lógicamente de una norma general (o un conjunto de normas generales), en conjunción con proposiciones fácticas (descriptivas de los hechos relevantes).

Así, la sentencia es concebida como la totalidad conformada por los *considerandos* y la *decisión*, de modo tal que aquélla puede ser reconstruida como un razonamiento cuya *conclusión* es la decisión y cuyas *premisas* se encuentran en los considerandos. Cabe acotar que no todos los elementos que aparecen en los considerandos constituyen premisas necesarias del razonamiento para la obtención de la conclusión. Al menos dos tipos de elementos son necesarios para la pretendida inferencia: *normas generales* que constituyen el fundamento normativo de la decisión y *proposiciones* relativas a los hechos del caso debidamente probados; la decisión derivada consiste, sobre esa base, en una *norma individual*. En no pocas ocasiones, sin embargo, según lo he anticipado, se hace necesario incluir *definiciones* en las premisas, es decir, enunciados que determinan el significado de una expresión o la extensión de un concepto (Bulygin 1966, 1995). De esta manera, el esquema más simple de la estructura lógica de una sentencia sería el siguiente:

N1, N2, ... Nn   (Premisas normativas)
P1, P2, ... Pn   (Premisas fácticas)

_____

D   (Conclusión normativa)

Sobre toda esta base, se ha detectado una marcada analogía estructural entre la explicación y la justificación, dado que en ambos casos se trata de mostrar que cierta proposición o norma es deducible de un sistema (teórico o normativo) que contiene esencialmente proposiciones o normas generales y ciertas proposiciones acerca de las condiciones iniciales o del caso, respectivamente. De igual manera, también existe una similitud importante desde el punto de vista funcional: así como la explicación puede perseguir los propósitos de explicar y predecir fenómenos pasados o futuros, respectivamente, la justificación puede efectuarse con la finalidad de guiar acciones futuras o de justificar (en un sentido más restringido) acciones pasadas. Ambas operaciones poseen la misma estructura lógica y responden a idéntica finalidad: proceder racionalmente en la explicación y justificación de las creencias y acciones (Alchourrón-Bulygin 1971, 230).

11.3.4. De acuerdo con la producción teórica actual, es conveniente considerar dos nociones de *justificación* en contextos normativos, una centrada en la conclusión de una inferencia y otra en las premisas de dicha inferencia. En el primer sentido, al que denominaré "justificación lógica", ésta consiste en una relación deductiva entre las premisas y la conclusión de un razonamiento; en el segundo sentido, al que denominaré "justificación axiológica", en cambio, la justificación requiere no sólo la existencia de tal relación deductiva, sino además el empleo de determinadas premisas, moralmente calificadas (adecuadas, justas o correctas). Consiguientemente, ambos sentidos difieren sustancialmente en un aspecto: la justificación lógica es ajena a la corrección material del razonamiento, mientras que la justificación axiológica es dependiente de ella.

Una manera esquemática de presentar estas dos concepciones de la justificación sería la siguiente:

(1) *Justificación lógica.* La decisión D está justificada, en relación a un conjunto de premisas P si, y sólo si, se deduce lógicamente de P.

Esta es la concepción defendida por Alchourrón y Bulygin, para quienes "el razonamiento jurídico que pretende mostrar que una decisión o una pretensión están justificadas de acuerdo al derecho vigente es esencialmente deductivo o, por lo menos, puede ser reconstruido como una inferencia lógica en la que, sobre la base de dos tipos de premisas, normativas y fácticas, se llega a una conclusión que afirma que ciertas consecuencias jurídicas son aplicables a un caso particular" (Alchourrón-Bulygin 1991, 303; Bulygin 1995a, 25). Lo relevante de la explicación resulta que, al recurrir a normas jurídicas como elementos justificatorios, no se pretende que ellas sean moralmente adecuadas y que, por consiguiente, la decisión sea axiológicamente correcta. Todo lo que se pretende es que, una vez identificadas ciertas normas jurídicas y descriptos determinados hechos particulares, la decisión se halle justificada en relación con esas premisas (Moreso-Navarro-Redondo 1992, 257).

De acuerdo con esta concepción, como justificar una decisión significa subsumirla en un sistema normativo, existen tantas justificaciones como sistemas existan. De este modo, resulta perfectamente admisible una justificación jurídica que no presuponga recurso a principios valorativos, sino exclusivamente a normas jurídicas. En este contexto, asignar a las normas jurídicas el carácter de premisas justificatorias no supone que ellas sean moralmente aceptables y, menos aún, que sean las únicas moralmente aceptables.

(2) *Justificación axiológica.* La decisión D está justificada si, y sólo si, se deduce lógicamente del conjunto de premisas P, axiológicamente correcto.

De acuerdo con esta concepción, la premisa principal de un razonamiento justificatorio es, necesariamente, una norma o principio moral y, por consiguiente, la justificación de decisiones judiciales implica el empleo de estándares de ese tipo. Por tal motivo, si la justificación de decisiones requiere invariablemente de pautas morales, la exigencia de justificar en derecho una decisión judicial resulta imposible de satisfacer (Nino 1989, 30, 115; 1985, 64-5). Nino ha defendido enfáticamente esta concepción de la justificación al sostener que "no hay una justificación jurídica de actos y decisiones que sea independiente de consideraciones de índole moral. La justificación jurídica es una *especie* de justificación moral que se distingue por tomar en cuenta (como datos fácticos relevantes) la vigencia de ciertas normas" (Nino 1985, 63).

Conforme a esta concepción, es necesaria una única respuesta a la pregunta acerca de la decisión correcta. Se sigue de ella, por consiguiente, que inevitablemente debe negarse un pluralismo axiológico, puesto que, de lo contrario, quedaría abierta la posibilidad de múltiples marcos justificatorios igualmente plausibles para una decisión cualquiera. El problema radicaría, entonces, en identificar el marco correcto que justifique *la* respuesta correcta. Esta dificultad, por cierto, no parece fácilmente superable, dada la ausencia de un método intersubjetivamente válido, generalmente aceptado, para resolver los problemas valorativos.

En mi opinión, las concepciones anteriores resultan insatisfactorias como reconstrucciones del concepto de *justificación*, tal como se lo emplea en el ámbito del derecho: la primera por ser ajena a la corrección material del razonamiento, y la segunda por adoptar un criterio axiológico de corrección. La idea de justificación en el derecho remite, invariablemente, según creo, a determinadas exigencias de adecuación material que el razonamiento debe satisfacer, pero tales exigencias se hallan vinculadas a criterios diferentes de los pretendidos por la concepción axiológica. Ofreceré una concepción alternativa de la siguiente manera:

(3) *Justificación jurídica.* La decisión D está justificada en relación a un conjunto de premisas P si, y sólo si, se deduce lógicamente de P, conjunto jurídicamente adecuado.

De acuerdo con esta concepción, la justificación no es ajena a la corrección material del razonamiento, en el sentido de que plantea cierta exigencia acerca de la calidad de las premisas.

Tal exigencia, sin embargo, ninguna vinculación tiene con su calidad moral. Lo que esta concepción exige es que las premisas resulten jurídicamente adecuadas, en relación a determinados criterios de adecuación: la adecuación a la que se alude es, en concreto, relativa a la aplicabilidad de las premisas normativas al caso individual sometido y a la prueba de las premisas fácticas alegadas en el proceso. Una decisión estará así jurídicamente justificada si, y sólo si, se deduce lógicamente de normas aplicables al caso individual y de proposiciones probadas en el proceso sobre las circunstancias fácticas invocadas. Demás está decir que esta concepción de la justificación es dependiente de la primera de las consideradas (justificación lógica), en el sentido de que exige la deducción de la conclusión de las premisas adoptadas; y es independiente de la segunda (justificación axiológica), pues no garantiza que la decisión resulte moralmente correcta.

11.3.5. Satisfacer la exigencia de que las decisiones judiciales se hallen fundadas en derecho supone la ejecución de una serie de operaciones dirigidas a determinar cuáles son las normas del sistema jurídico en cuestión que deben ser utilizadas en la justificación de cada caso. En general, es necesario, ante todo, determinar la composición del derecho de referencia mediante ciertos criterios, para luego seleccionar, mediante criterios adicionales, aquellas normas que resultan aplicables al caso individual. De este modo, hay en juego dos tipos de criterios que hacen posible satisfacer la exigencia de fundar las decisiones en derecho: criterios de pertenencia de las normas al sistema y criterios de selección de las normas aplicables al caso concreto.

La cuestión relativa a cuándo una norma pertenece a cierto sistema jurídico reclama la formulación de un criterio (o conjunto de criterios) de pertenencia de normas a sistemas. En este sentido, existen al menos tres concepciones del derecho basadas en criterios de identificación significativamente diferentes. A falta de mejor denominación las llamaré "formalista", "realista" y "naturalista", respectivamente. En versión simplificada podrían presentarse como sigue.

(1) *Concepción formalista.* Pertenecen al sistema jurídico S las normas dictadas por las autoridades competentes instituidas por S y las que se derivan lógicamente de ellas.

Esta concepción se aproxima a la caracterización propuesta por Alchourrón y Bulygin, pues centra la identificación del derecho en dos criterios centrales: el de legalidad, para las normas expresamente promulgadas por autoridades competentes, y el de deducibilidad, para la normas derivadas lógicamente de las primeras (Alchourrón-Bulygin 1971, 1979, 1991). Sobre esta base, Alchourrón y Bulygin han concebido los sistemas normativos como sistemas de enunciados entre cuyas consecuencias lógicas hay al menos una norma, es decir, un enunciado que correlaciona un caso con una solución normativa. Y de acuerdo con la definición de "sistema", éste constituye un conjunto de enunciados que comprende todas sus consecuencias lógicas. De este modo, los sistemas normativos, y como subclases de ellos los sistemas jurídicos, son concebidos como sistemas deductivos.

(2) *Concepción realista.* Pertenecen al sistema jurídico S las normas reconocidas por los órganos judiciales instituidos por S y las que serían probablemente reconocidas por ellos, si la ocasión se presentara, para resolver los casos sometidos a decisión.

De acuerdo con esta propuesta, para definir la pertenencia de una norma particular a un sistema concreto se exige su reconocimiento efectivo o potencial por parte de determinados órganos estatales, los órganos encargados de su aplicación en casos específicos. La identificación de las normas del sistema depende, pues, en definitiva, de ciertas prácticas judiciales, actuales o eventuales. En buena medida, esta concepción refleja las sugerencias de Ross, en el sentido de reconstruir el concepto de derecho a partir del de vigencia (Ross 1958). También Raz ha insistido en que es el reconocimiento por parte de órganos primarios (órganos de aplicación) lo que parece ser decisivo para afirmar que cierta norma pertenece a un sistema determinado (Raz 1970, 1975).

(3) *Concepción naturalista.* Pertenecen al sistema jurídico S las normas reconocidas por los órganos judiciales instituidos por S y las normas que, de acuerdo con determinados principios morales, aquéllos deben aplicar para resolver los casos sometidos a decisión.

Una concepción similar a la anterior ha sido propuesta, en particular, por Dworkin (Dworkin 1977). Conforme a ella, el sistema jurídico contiene las normas que resultan, de hecho, reconocidas por los jueces, y aquellas normas que, basadas en estándares morales, deben ser tenidas en cuenta al resolver las controversias pendientes de decisión. Estas últimas normas pertenecen al sistema no por su origen o por su admisión por parte de ciertas autoridades, sino por su contenido, reputado justo o correcto. Dworkin sostiene que los jueces no pueden justificar sus juicios de que deben aplicar cierta norma en un caso dado sólo en el hecho de que existe cierta práctica social de reconocimiento de dicha norma, puesto que, en su opinión, para justificar ese tipo de juicios, los jueces deben recurrir a juicios valorativos que determinen la corrección de la práctica en cuestión.

Más allá de las discrepancias filosóficas, en general, los juristas parecen adoptar en la práctica una concepción como la formalista, remitiendo el problema de la pertenencia de normas a sistemas a criterios de legalidad.

11.3.6. Por último, parece necesario distinguir con claridad dos conceptos centrales respecto del deber de aplicar normas de derecho en la fundamentación de las resoluciones judiciales: los conceptos de *aplicación* y de *aplicabilidad*. Este par de nociones, sin embargo, no ha sido objeto de suficiente análisis por parte de los teóricos del derecho, salvo importantes excepciones (Ross 1958; Bulygin 1963, 1982; Moreso-Navarro 1995).

(1) *Aplicación*: Una norma N es aplicada por un juez J de un sistema S en un caso individual I si, y sólo si, N es usada por J para la resolución de I.

En buena medida esta parece ser la idea defendida por Ross acerca de la noción de aplicación, por cuanto que, según su propia explicación "[la] 'aplicación' práctica (...) sólo puede significar que en las decisiones en que se dan por probados los hechos condicionantes de dicha regla, ésta forma parte esencial del razonamiento que funda la sentencia y que, por lo tanto, la regla en cuestión es uno de los factores decisivos que determinan la conclusión a que el tribunal arriba" (Ross 1958, 41). De acuerdo con una aclaración de Bulygin al respecto, es condición necesaria y suficiente de la aplicación de una norma que el juez base en ella su sentencia del caso, es decir, que justifique en ella su decisión del caso en cuestión (Bulygin 1963).

(2) *Aplicabilidad*: Una norma N es aplicable por un juez J de un sistema S en un caso individual I si, y sólo si, se dan las condiciones previstas en S para la aplicación de N por J en la resolución de I.

De acuerdo con este concepto, para que una norma sea aplicable es necesario que se satisfagan las condiciones establecidas en el sistema para la aplicación de dicha norma; los mismos sistemas jurídicos contienen, por cierto, criterios más o menos claros que permiten determinar qué normas son aplicables en la resolución de los casos sometidos a sus órganos jurisdiccionales. Dicho de otra manera, la aplicabilidad de una norma depende de que estén reunidas las condiciones previstas para la aplicación de la norma al caso en cuestión. Tales condiciones pueden ser múltiples y diversas y variables de un sistema a otro. Por lo común, esos criterios de aplicabilidad guardan relación con factores temporales, espaciales, personales y materiales y poseen un grado de generalidad importante.

Se sigue del anterior par de conceptos que es posible que una norma determinada resulte aplicada en un caso dado sin que tal norma sea aplicable a él. También se sigue que es posible que una norma determinada sea aplicable para la resolución de un caso dado sin que tal norma resulte aplicada o haya sido aplicada de hecho en la resolución de dicho caso. Esto significa, básicamente, que no siempre los jueces efectivamente aplican las normas aplicables, es decir, que no siempre justifican sus decisiones con las normas que, de acuerdo con los criterios establecidos en el sistema, justificarían válidamente esas decisiones. Estas circunstancias (los jueces aplican normas inaplicables y no aplican normas aplicables) dan lugar a la revisión de los fallos así emitidos ante tribunales superiores por vía de recursos previstos al efecto (apelación, nulidad, casación). En esos casos, se discute la legalidad de las decisiones judiciales, es decir, su adecuación respecto del sistema jurídico. Si los tribunales de alzada consideran que los fallos no se hallan ajustados a derecho, los revocan y, por lo general, corrigen los fallos o disponen que los casos sean nuevamente resueltos.

Cabe advertir, finalmente, que el deber de resolver los casos sometidos a decisión en base a las normas del sistema se vuelve de cumplimiento imposible para los jueces en el supuesto de que el sistema no contenga norma alguna aplicable al caso en cuestión. Esto es lo que sucede en caso de laguna legal, concebida como aquella circunstancia en que el sistema jurídico carece, respecto de cierto caso, de toda solución normativa. Como, por hipótesis, el caso genérico carece de solución correlacionada a él, el caso individual no puede ser resuelto según las previsiones del sistema a su respecto. Resulta evidente, pues, que si el sistema nada dice acerca del caso sometido, el juez no puede cumplir con su obligación de fundar su decisión en ese sistema, cualquiera que sea la decisión que adopte. A lo sumo, lo que puede hacer el juez es modificar el sistema, agregando una solución para el caso genérico, y luego fundar su decisión en el sistema modificado. Esta operación exige, sin embargo, una autorización expresa dirigida al juez, en el sentido de concederle la atribución de integrar el sistema en caso de laguna. Si dicha atribución le fuera negada, necesariamente dejará de cumplir alguna obligación: si resuelve el caso individual sin solucionar previamente el caso genérico, su decisión no estará fundada en el sistema y, por consiguiente, violará el deber de resolver los casos conforme al derecho; si soluciona el caso genérico (lo que le está prohibido por hipótesis), modificará el sistema y ejecutará un acto prohibido; y si se abstiene de juzgar, violará el deber de resolver los casos sometidos a su decisión. De este modo, los tres deberes en juego (resolver, fundar y aplicar el derecho) resultarán incompatibles en caso de laguna y sólo resultarán coexistentes si el sistema es completo.

12

Presunciones
y presunciones legales

12.1. Un punto de partida

En un estimulante ensayo de Ullmann-Margalit sobre las presunciones (Ullmann-Margalit 1983), se explica que la noción de *presunción* desempeña un papel importante en toda deliberación práctica, por lo que su función en el derecho cobra, en determinados contextos, relevancia especial. Y esto es así porque, según afirma, las presunciones legales fuerzan a tomar algo como verdadero bajo determinados supuestos; en ocasiones, el derecho interviene y establece reglas en forma de presunciones en virtud de las cuales se "infiere" un hecho controvertido, a partir de ciertos hechos básicos ya establecidos, mientras no se aporten elementos de prueba suficientes en sentido contrario. De este modo, las presunciones indican anticipadamente una respuesta posible a la cuestión controvertida, a los efectos de producir una decisión. En otros términos: con el fin de resolver un caso, el juzgador debe, por disposición legal, tomar como cierta determinada proposición o como producido determinado estado de cosas, mientras no existan elementos de prueba en contra.

De acuerdo con la propuesta de Ullmann-Margalit, las presunciones pueden representarse mediante una *fórmula* con la siguiente forma estándar (Ullmann-Margalit 1983, 147):

(1) Pres (p, q)

donde "Pres" representa el operador de presunción, "p" el hecho que da lugar a la presunción y "q" el hecho presumido. Consiguientemente, la fórmula (1) se leería entonces del siguiente modo: "p da lugar a la presunción de que q", o "Existe la presunción, a partir de p, que q". Así, cuando se afirma que cabe la presunción en un caso dado, quiere decirse que el hecho genérico que da lugar a la presunción se ha producido en esa circunstancia concreta. Por ello, en rigor, la *regla de presunción* establece lo siguiente: "Dado que es el caso de que p, debe procederse como si q fuese verdadero, a no ser que, o hasta que, existan razones suficientes para creer que no es el caso de que q".

La fórmula en cuestión ha merecido algunos comentarios, sugeridos por la propia Ullmann-Margalit (Ullmann-Margalit 1983, 147-52). Primero, que la regla no tiene tanto que ver con la afirmación de hechos como con el proceder sobre su base, ya que su objeto es facilitar la toma de decisiones, superando situaciones de incertidumbre; no ordena a sus destinatarios, sin embargo, determinada acción física, sino que dispone que tomen cierta proposición como si fuese verdadera, como base para actuar. Segundo, que las presunciones están asociadas con ciertas inferencias, pero las presunciones, en sí mismas, no versan acerca de inferencias, es decir, no implican compromiso alguno con, ni garantizan, el valor de verdad de la proposición presumida: la presunción dispone que, en la práctica, se pase de una proposición a otra. Tercero, la presunción pone en marcha un mecanismo en base al cual el destinatario procede sobre la base de la proposición presumida, pero tal curso de acción puede ser bloqueado si (o en el momento que) el destinatario encuentra elementos de juicio suficientes para creer que no q, lo que supondría que la presunción ha dejado de operar.

Analizaré en lo sucesivo algunos de los puntos centrales de la propuesta de Ullmann-Margalit. Centraré mi atención básicamente en lo siguiente: la noción de *presunción*, el carácter y la función de las normas de presunción y la manera de representarlas; consideraré, finalmente, un par de estrategias destinadas a impedir que una presunción opere en un caso dado.

12.2. La noción de presunción

12.2.1. Todo parece indicar que el verbo "presumir" se emplea de diversas maneras y con significados distintos en ciertos contextos. Consiguientemente, un tipo de confusión podría originarse en la falta de distinción adecuada entre diversos significados del término en cuestión. Pero incluso en caso de que el término fuera empleado con un único significado, la falta de claridad respecto de lo que pretende decirse cuando se lo usa con ese significado podría constituir una fuente adicional de confusiones. De este modo, una contribución importante consistiría en distinguir diversos usos de "presumir" y en explicitar sus condiciones de aplicación en cada uno de ellos. No procederé, sin embargo, de este modo.

Partiré, no obstante, de la base de que "presumir" integra un conjunto bastante homogéneo de verbos emparentados semánticamente (con un número importante de miembros) entre los que cuentan "sospechar", "conjeturar", "suponer", "creer", "asumir", "admitir", "acceder", "presuponer", "hipotetizar", "imaginar", "subentender", "teorizar", "presentir", "desconfiar", "postular", "dar (por)", "poner (por caso)", "figurar(se)" (Sellars 1954; Hall 1958; Llewelyn 1962; Lamb 1972; Cohen 1989; Ullmann-Margalit 1992). Muchos de los verbos del listado anterior, incluso, son sinónimos de, o equivalentes a, "presumir" en ciertos ámbitos, razón por la cual se hace difícil aceptar que, cuando se emplea el término "presumir", sólo existe una única manera de entender el enunciado que lo contiene. Por lo tanto, un enunciado de la forma "Debe presumirse, a partir de p, que q", puede ser interpretado, en principio, de distintas maneras, asociadas ellas a significados diferentes de "presumir" y "presunción". No pretendo efectuar ningún hallazgo semántico a este respecto. Sencillamente propondré un modo de concebir la noción de *presunción* que lleve un paso más adelante la idea de *tomar como verdadero,* propuesta por Ullmann-Margalit como soporte de la noción de presunción.

12.2.2. En mi opinión, el mejor candidato para elucidar la idea de presunción, tal como ella opera en el ámbito de las presunciones legales, parece el concepto de *aceptación*, concebido a la manera de Cohen, con alguna modificación menor. Según Cohen, aceptar la proposición p es adoptar una política (o estrategia) de tomar (asumir, postular) p como una premisa en algún contexto (o en todos los contextos), sobre la base de ciertas pruebas, argumentos, inferencias o deliberaciones (Cohen 1989, 368). En otras palabras, aceptar p consiste en usar p como premisa de un razonamiento. De acuerdo con la explicación de Cohen, sin embargo, pareciera que la aceptación de una proposición supone, exclusivamente, la inclusión de p en un razonamiento teórico; de ser ello así, debería modificarse ligeramente la idea, ampliándola, de manera que la aceptación de una proposición pudiera producirse en un razonamiento práctico, a los efectos de justificar una acción o una decisión.

Otro par de buenos candidatos para elucidar la idea de presunción representan los conceptos de *creencia* y *suposición*. El primero, sin embargo, resulta inadecuado por su carácter pasivo, en el sentido de que las creencias no están sujetas a adopción o eliminación voluntaria. Este rasgo se origina en una de las notas definitorias de las creencias, a saber, su pretensión de verdad: como advierte Redondo, si se puede decidir tener creencias, se puede decidir tener creencias falsas; no se puede decidir tener creencias falsas; por lo tanto, no se puede decidir tener creencias (Redondo 1996, 184-5). El segundo, por su lado, si bien comparte con el concepto de *aceptación* el rasgo de exigir la inclusión de una proposición como premisa de un razonamiento, carece del rasgo práctico que aquél exhibe, pues la suposición en nada compromete con la acción. La aceptación, en cambio, está directamente vinculada con la acción, en el sentido de que genera la expectativa de que se realicen determinados actos conformes con los contenidos aceptados; aunque no garantiza la ejecución de la acción, la aceptación representa un motivo capaz de dar lugar a ella (Redondo 1996, 189).

Entre aceptación y creencia, por cierto, no existe una conexión conceptual (necesaria), puesto que aceptar una proposición es compatible con no tener creencia alguna respecto de ella e, incluso, con creer que ella es falsa. Aceptar p no compromete, pues, con ninguna creencia a su respecto: un sujeto puede aceptar p, en el sentido de usarla como premisa de un razonamiento justificatorio (o teórico), y no tener creencia respecto de la verdad o falsedad de p. Nada impide, desde este punto de vista, afirmar "Acepto p, pero no es el caso de que crea p". La inversa, por lo demás, también vale: un sujeto puede creer p y, en determinadas circunstancias, no aceptar p, es decir, no usarla como premisa de un razonamiento justificatorio, a pesar de su creencia en la verdad de ella. Así, cabe afirmar, desde otro punto de vista, "Creo p, pero no acepto p (en este contexto, o a los efectos de este razonamiento)". Estas observaciones muestran un par de rasgos interesantes de la noción de *aceptación* y permite señalar que las razones para aceptar una proposición no necesariamente deben ser razones epistémicas, lo que es tanto como decir que no es preciso que el fundamento de la aceptación sea la creencia de la proposición en cuestión (Cohen 1989, 369).

El elemento contextual también juega, claro está, un papel de suma importancia en el análisis del concepto de *aceptación*. En este sentido, surge de la explicación anterior que un sujeto puede aceptar una proposición en un contexto determinado y no aceptarla en otro contexto, es decir, un sujeto puede aceptar la proposición p en un cierto contexto de razonamiento justificatorio y no aceptarla en otro (Bratman 1992, 10-11). Parece seguirse de esto, además, que la noción de aceptación es relativa no sólo en cuanto al contexto, sino también en cuanto al tiempo, puesto que un sujeto puede aceptar p en un tiempo dado y no aceptarla en un tiempo posterior. Este rasgo de variabilidad en el tiempo de la aceptación no requiere una acotación específica, en el sentido de que la aceptación no exige una determinada estabilidad mínima. Por el contrario, la idea de aceptación entraña el rasgo de transitoriedad señalado, en tanto que no existe clase alguna de exigencia conceptual respecto del tiempo de aceptación de una proposición. Existe sí, en cambio, una exigencia contextual conexa, por cuanto que la aceptación de una proposición (o de un conjunto de proposiciones) compromete con la aceptación de las consecuencias lógicas de esa proposición (o de ese conjunto de proposiciones). Esta exigencia se traduce, de inicio, en el compromiso de no aceptar una proposición y su negación, al mismo tiempo, en el mismo contexto.

12.3. Normas de presunción

12.3.1. Se afirma acertadamente, en términos generales, que las presunciones legales constituyen mandatos legislativos en virtud de los cuales se ordena tener por establecido un hecho, siempre que la ocurrencia de otro hecho, indicador del primero, haya sido comprobada suficientemente. Sostendré, sobre la base anterior, que las presunciones legales son, con mayor rigor, normas que imponen el deber de aceptar una proposición, siempre que otra proposición se encuentre debidamente probada. Siendo así, las presunciones legales imponen un deber muy particular, a saber, el deber de aceptar ciertas proposiciones en determinadas circunstancias, especificadas por el sistema. De acuerdo con mi punto de vista, pues, las presunciones legales tienen carácter prescriptivo y, más precisamente, obligatorio, puesto que ellas son dictadas para que algo deba hacerse. Insisto en que me parece inquietante –para decir lo menos– la versión vacilante de Ullmann-Margalit a este respecto, vacilación que, según creo, se origina en una cuestión conexa relativa al contenido de la norma presuntiva. Recuérdese que Ullmann-Margalit afirma que la fórmula representativa de una presunción "es de naturaleza proposicional", así como que "ella es ostensiblemente acerca de hechos" (Ullmann-Margalit 1983, 147). Esto requiere alguna atención adicional.

Un punto controvertido en la formalización de las normas (por ejemplo, de "Obligatorio p" mediante "Op") ha sido, justamente, el relativo al estatus lógico-lingüístico de la variable afectada por el operador deóntico de que se trate. Algunos autores la consideran un enunciado descriptivo (proposicional) de acción, mientras que otros la tratan como un nombre de acción (no proposicional). La gran mayoría, siguiendo la tradición iniciada por Prior y Anderson, sin embargo, se ha inclinado por la primera alternativa y considera a "p" como simbolización de un enunciado indicativo, de una oración descriptiva de una acción determinada. Por otro lado, no pocos lógicos leen "p" como si representara una oración subjuntiva; así, por ejemplo, "p" es representación de "que ocurra ..." o, en términos de von Wright, de una *que-cláusula* (Mendonca 1992, 77). Sobre esta base, si lo que Ullmann-Margalit pretende señalar es que la norma (y su representación simbólica) aluden a la descripción de una acción (presumir), no tengo inconveniente alguno en aceptarlo. Si lo que Ullmann-Margalit pretende, en cambio, es advertir que la norma (y su representación simbólica) tienen carácter proposicional y no prescriptivo, reitero mis objeciones del apartado anterior. Si lo que

Ullmann-Margalit pretende es, por último, hacer notar que, en algún sentido, las normas de presunción versan acerca de proposiciones, tampoco tengo reparos que formular, a condición de no confundir por ello el carácter prescriptivo de esas normas con el contenido proposicional que imponen.

En el caso de las presunciones legales, como en todos los demás casos de prescripciones, el *contenido* es una acción. La acción prescripta en este caso sería, sin embargo, una acción peculiar, pues consiste, según se afirma recurrentemente, en un *estado mental*. Así, por ejemplo, se sostiene que "La aceptación es la clase de estado mental que tiene un tipo de papel específico, un papel funcional, en el pensamiento, la inferencia y la acción. Cuando una persona acepta p, ella extraerá ciertas inferencias y realizará ciertas acciones asumiendo la verdad de p" (Steup 1995, 120). En el mismo sentido se expide Cohen al decir que "aceptar es un acto mental, un patrón, sistema o política de actividad mental antes que de actividad lingüística" (Cohen 1989, 368). Vista de este modo, la noción de *aceptación* estaría vinculada a las llamadas "actitudes proposicionales". Calificar a las actitudes de proposicionales se debe a que los filósofos y lógicos que se han ocupado de su análisis han considerado, en general, que la oración subordinada ("x [verbo actitudinal] que p") expresa una proposición relativa a un estado psicológico o mental de uno o varios sujetos hacia una proposición. En este estudio, sin embargo, me interesará la aceptación como actitud proposicional desde un punto de vista estrictamente lógico, lo cual quiere decir que me interesará la aceptación como operación de incorporación de proposiciones a razonamientos, es decir, por las relaciones de inferencia que supone. Me interesa deslindar claramente el plano lógico del plano psicológico en el cual se mueven las presunciones, sobre todo en el contexto de su empleo con fines justificatorios. Confundir ambos planos representaría, en mi opinión, un error de peso.

12.3.2. Para justificar una decisión en base a una presunción, no basta con que el juzgador *afirme* que existe la presunción en cuestión; tampoco basta que el juzgador *afirme* que presume en tal o cual sentido; para justificar una decisión el juzgador debe *usar* la presunción de que se trate, incluyendo la proposición presumida en su razonamiento justificatorio. Esto no excluye, desde luego, la posibilidad de que el juzgador tenga, además del deber de *usar* la proposición presumida, el deber de *individualizar* expresamente la norma presuntiva en la cual basa su decisión. Lo que debe quedar claro, en suma, es que la afirmación de que existe una presunción determinada carece por completo de poder justificatorio, por la sencilla razón de que las proposiciones no tienen tal poder; sólo las normas poseen poder justificatorio. En otras palabras, justificar una decisión en base a una presunción exige el *uso* de normas presuntivas y no de proposiciones normativas acerca de ellas.

Es por ello que el razonamiento ejemplificador de Ullmann-Margalit no puede ser considerado un razonamiento justificatorio. De acuerdo con él, las premisas son las siguientes: (1) existe la presunción de que el niño nacido durante el matrimonio es hijo legítimo; (2) Adam (un niño concreto) nació durante el matrimonio; la conclusión es, por tanto (3) existe la presunción de que Adam es hijo legítimo (Ullmann-Margalit 1983, 145). Este razonamiento no contiene, está claro, una norma de presunción y, por consiguiente, no constituye un caso de razonamiento justificatorio en base a una presunción. La cuestión se torna desconcertante si se considera la observación de Ullmann-Margalit, en el sentido de que la conclusión "no *afirma* nada, o no al menos primariamente" (Ullmann-Margalit 1983, 145). Esta tesis suena a confusión, si no a error, pues es obvio que (3) afirma categóricamente algo. Esto no sería así, sin embargo, si en lugar de (1) estuviera la premisa normativa (1") es obligatorio presumir que el niño nacido durante el matrimonio es legítimo, pues ella, en conjunción con (2), permitirían inferir la conclusión normativa (3") es obligatorio presumir que Adam es hijo legítimo. A partir de allí, la proposición "Adam es hijo legítimo" podría entrar a operar, por ejemplo, en procesos sucesorios en los que no existieran elementos de prueba suficientes respecto de la legitimidad del sujeto como heredero.

12.3.3. Conviene tener presente, por otro lado, la advertencia de Ullmann-Margalit en el sentido de que las presunciones están asociadas a inferencias, aunque ellas no versan acerca de inferencias. Esto cobra especial relevancia en función de cierta tendencia, bastante extendida, a tergiversar esa relación entre presunciones e inferencias. Así, por ejemplo, Wróblewski sostiene que "la presunción es una regla que obliga a reconocer cierta conclusión en determinadas condiciones" y que "las normas de presunción, como todas las normas, regulan el comportamiento de los destinatarios: las presunciones fuerzan a reconocer la conclusión de la presunción cuando las premisas se encuentran verificadas" (Wróblewski 1974, 48). La explicación de Wróblewski es, al menos terminológicamente, bastante confusa, puesto que las presunciones no imponen conclusiones, como él parece pretender, sino premisas. De este modo, las presunciones pueden ser vinculadas a razonamientos, sin contener reglas de inferencias ni establecer conclusiones.

Ahora bien, tales premisas son impuestas bajo el supuesto de la satisfacción de ciertas *condiciones* fijadas por las mismas normas que establecen presunciones. Conviene tener presente que ciertas circunstancias deben darse para que entre a operar la obligación de presumir la proposición que la norma determina. Tales circunstancias se remiten, básicamente, a la prueba de una proposición acerca de un estado de cosas determinado y a la ausencia de prueba respecto de la negación de la proposición presumida. Puede verse en esto, pues, dos condiciones determinantes, una positiva y otra negativa: la positiva sería la existencia de elementos de juicio a favor de una proposición determinada (p, en el esquema de Ullmann-Margalit) y la negativa sería la ausencia de elementos de juicio a favor de la negación de la proposición presumida (q, en el esquema indicado). Volveré en breve sobre este punto.

12.3.4. Es común encontrarse en la teoría jurídica con la idea de que las presunciones, en general, contienen tres elementos: una *afirmación base*, una *afirmación presumida* y un *enlace* que permite el paso de la afirmación base a la afirmación presumida. En el caso de las *presunciones legales*, el enlace entre la afirmación base y la afirmación presumida está predeterminado o fijado por el legislador, en función de determinados elementos de juicio, a diferencia de lo que sucede con las *presunciones judiciales*, en las que el enlace lo efectúa el juzgador en atención a las llamadas "máximas de experiencia". Este difundido esquema me parece básicamente correcto, por lo que le prestaré mayor atención. Me limitaré, sin embargo, a las presunciones legales.

Presunciones con la estructura indicada pueden encontrarse fácilmente en diferentes sistemas jurídicos. Así, por ejemplo, la presunción de naufragio establecida en el artículo 194.2 del Código Civil español, en virtud de la cual, "Se presume el naufragio si el buque no llega a su destino, o, si careciendo de punto fijo de arribo, no retornase, luego que en cualquiera de los casos hayan transcurrido tres años contados desde las últimas noticias recibidas o, por falta de éstas, desde la fecha de salida de la nave del puerto inicial del viaje". Estructura idéntica presenta la presunción de conmorencia establecida en el artículo 33 del mismo Código, según la cual, "Si se duda, entre dos o más personas llamadas a sucederse, quién de ellas ha muerto primero, el que sostenga la muerte anterior de una o de otra, debe probarla; a falta de prueba, se presumen muertas al mismo tiempo y no tiene lugar la transmisión de derechos de uno a otro".

Tomemos como forma básica de cualquier presunción la siguiente: "Dado p, se presumirá que q" o "Probado p, es obligatorio presumir q". Formalmente esto sería como se propone a continuación:

(2) Si está probado p, entonces es obligatorio presumir q

o, si se prefiere,

(2) Pro(p) → O Pre(q)

La fórmula en cuestión refleja claramente la forma condicional de la presunción ejemplificada. En el antecedente del condicional se establece, como condición de aplicación, la prueba de la proposición que sirve de base, es decir, de p; en el consecuente se establece el carácter normativo de la presunción (obligación). De acuerdo con la norma (2), es obligatorio que la presunción de q entre a operar, en el supuesto de que p se halle debidamente acreditada.

Convirtamos el ejemplo propuesto en (2) en otro ejemplo con sustento legal. Tomemos la norma en virtud de la cual el hijo nacido después de ciento ochenta días de celebrado el matrimonio se presume concebido durante él y que, por consiguiente, el hijo nacido en tales circunstancias se presume legítimo. Para simplificar, reconstruiré el ejemplo del siguiente modo: "el hijo nacido después de ciento ochenta días de celebrado el matrimonio de los padres, se presume hijo legítimo" o, en otros términos "si el hijo nace después de los ciento ochenta días de celebrado el matrimonio de los padres, se presumirá (es obligatorio presumir) que el hijo es legítimo". Así, el legislador impone la presunción de legitimidad a condición de que se prueben las proposiciones en que ella se funda: la presunción de legitimidad del hijo funciona siempre que se acredite el matrimonio de los padres y el nacimiento dentro del plazo legal.

Creo que la fórmula contenida en (2) lleva cierta ventaja respecto de la contenida en (1), por las siguientes razones: en (1) no queda expresado el carácter normativo de la presunción, rasgo destacado por Ullmann-Margalit mediante la lectura propuesta para esa fórmula (conviene recordar que, según Ullmann-Margalit (1) debe leerse como sigue: "dado que es el caso de que p, se *procederá* como si q fuese verdadero..." (destaco la expresión "procederá" con el propósito de señalar el carácter normativo sugerido); en (1) tampoco queda claro el carácter condicional de la presunción, más allá de los inconvenientes que plantea la representación de las normas condicionales, pues la expresión "(p, q)" no puede indicar (no al menos en la lógica estándar) una relación condicional de la forma "si..., entonces...", forma que, por otro lado, surge de la lectura propuesta por Ullmann-Margalit para (1); en (1) no es posible aplicar la regla del *modus ponens*, por lo que inferencias como la propuesta por Ullmann-Margalit no pueden ser válidamente efectuadas. Por estas razones, creo que la modificación de (1) se impone. En este sentido (2) supone un avance en la clarificación de la estructura de una norma presuntiva, aunque requiere aún ajustes adicionales.

12.3.5. No quisiera dejar pasar una modificación que me parece importante respecto de la representación de las presunciones condicionales. Sucede que, como lo admite la propia Ullmann-Margalit, las normas presuntivas contienen una cláusula de prueba en contrario con las formas "a no ser que" o "hasta que", de modo que la presunción resulta inaplicable cuando el sujeto tiene razones suficientes para creer que no es el caso que q, momento en que la presunción deja de operar (Ullmann-Margalit 1983, 149-50). Esto supone, según lo anticipara, que las presunciones (me limito a las presunciones *iuris tantum*) exigen la prueba de la proposición base y la ausencia de prueba respecto de la negación de la proposición presumida. Por ello, seguro es que la fórmula debería recoger esta variable en su antecedente, con lo cual ella debería asumir una forma como la siguiente:

(3) Si está probado p y no está probado no-q, entonces es obligatorio presumir q

lo que en términos formales sería como sigue:

(3) [Pro(p) & –Pro(–q)] → O Pre(q)

La condición de ausencia de prueba en contrario –la condición negativa de la que antes hablaba– queda ahora reflejada en (3). Diré de paso que, en caso de existir prueba respecto de la proposición presumida, en uno u otro sentido (a favor de p o de No-p), no cabría presumir, propiamente, sino tener por probado. Muchas veces, sin embargo, una proposición queda probada en un proceso, al tiempo en que ella es presumida por imperio de la ley.

12.3.6. De acuerdo con lo expuesto, es fácil ver que las presunciones cumplen un papel instrumental en el derecho. Su función básica es posibilitar la superación de situaciones de *impasse* del proceso decisorio, en razón de la ausencia de elementos de juicio a favor o en contra de determinada proposición (proposición que resulta relevante para resolver el caso sometido). De este modo, la incorporación de presunciones por vía legal constituye un mecanismo del cual se vale el derecho, en general, para resolver en un sentido determinado aquellos casos en que existe cierta incertidumbre acerca de si se han producido determinadas circunstancias, correlacionadas con ciertas soluciones por normas del sistema en cuestión. Ullmann-Margalit hace referencia a este dato señalando un rasgo de *parcialidad* en las presunciones, en el sentido de que dan preferencia anticipada a cierta solución, favoreciéndola frente a otras soluciones opuestas (Ullmann-Margalit 1983, 146). Esta parcialidad, por cierto, se justifica de maneras diversas. Ullmann-Margalit ha distinguido tres tipos de consideraciones que pueden servir para justificar la inclusión de una presunción determinada: consideraciones probabilísticas (es más/menos frecuente q que No-q, en caso de p), evaluativas (las consecuencias de presumir q, en caso de p, serían más/menos graves que las consecuencias de presumir No-q, en caso de p) y procesales (es más/menos fácil producir prueba en favor de q que de No-q, en caso de p) (Ullmann-Margalit 1983, 154-62).

Esa función instrumental asignada, sin embargo, no siempre es cumplida por las presunciones. En determinadas circunstancias, incluso, las presunciones generan inconvenientes mayores que los que pretenden resolver. Mostraré a continuación algunos ejemplos de cómo las presunciones pueden producir un efecto extraño e inesperado cuando son incluidas en los sistemas jurídicos sobre consideraciones deficientes.

Tomaré el caso de la presunción de legitimidad de la filiación, tal como ella se hallaba regulada en el *Code Civil* de Napoleón. De acuerdo con la disposición pertinente, se presumían concebidos durante el matrimonio, los hijos nacidos después de ciento ochenta días del casamiento válido de la madre, y los póstumos nacidos dentro de trescientos días contados desde el día en que el matrimonio fue disuelto por muerte del marido. Dada la norma anterior, se plantearon casos en los cuales la presunción entraba a operar imputando soluciones inadmisibles. Esos casos son los que se explican a continuación.

Caso 1. El caso de la mujer que, muerto el marido, tuviese un hijo, y posteriormente un segundo, antes de transcurrir los 300 días desde la disolución del matrimonio. En tal supuesto, es obvio que el segundo hijo, no obstante haber nacido durante el término máximo de duración del embarazo, en relación al día de la disolución del matrimonio por muerte del marido, no pudo ser naturalmente concebido durante él. Este caso puso en crisis, por cierto, el carácter *iuris et de iure* de la presunción sobre la época legal de la concepción y determinó que la doctrina propugnara la tesis según la cual la presunción debía reputarse *iuris tantum*. La dogmática sostuvo, entretanto, llamativamente, que la presunción debía reputarse inaplicable cuando la certeza de los hechos se imponía a cualquier suposición de la ley (Belluscio-Zannoni 1979, 4).

Caso 2. El caso de la mujer viuda que contrae segundo matrimonio y da a luz un hijo después de los 180 días de contraído éste, pero dentro de los 300 días posteriores a la disolución del primero por muerte del marido. En tal supuesto, operan con simultaneidad dos presunciones de igual fuerza, por lo que existe atribución de paternidad simultánea a hombres diferentes para un mismo sujeto. La doctrina francesa enfrentó el problema y lo resolvió de manera no uniforme con soluciones muy diversas. Algunos autores consideraron que el hijo debía reputarse concebido en el segundo matrimonio como sanción al marido que, sabiendo que su esposa se hallaba impedida de contraer matrimonio durante el plazo de viudez, de acuerdo con una disposición adicional, no respetó la prohibición (Demolombe). Otros consideraron que ambas presunciones se eliminaban recíprocamente al operar con simultaneidad y que la solución exigía decisión judicial en base a pruebas e indicios de una u otra paternidad (Planiol, Ripert, Capitant). Hubo, finalmente, quienes entendieron que, ante el conflicto, el hijo tenía derecho a escoger el padre (Laurent), criterio éste acogido mayoritariamente por la jurisprudencia francesa. La disputa respecto de esta cuestión no quedó resuelta sino en 1972 mediante la sanción de una ley modificatoria del *Code* en materia de filiación, reformando el texto original del artículo correspondiente (Belluscio-Zannoni 1979, 7-8).

La moraleja de estos casos parece ser la siguiente: el papel de las presunciones no es representar un detalle de información que sea parte de nuestro conocimiento respecto de cómo son las cosas en el mundo, sino que es parte de una maquinaria instrumental en uso mediante cuyas operaciones se adoptan decisiones. De este modo, como las presunciones tienen un carácter instrumental, ellas pueden conducir o no a los propósitos perseguidos. La evaluación de una presunción debe efectuarse, entonces, en base a su papel funcional. Consiguientemente, el valor de una presunción reside en consideraciones sistemáticas respecto del contexto decisorio dentro del cual ella figura.

12.3.7. Ullmann-Margalit se refiere a un rasgo particular de las presunciones señalando que decimos de ellas, entre otras cosas, que son "vencibles", "superables", "revisables", "derrotables" o "desplazables" (Ullmann-Margalit 1983, 149). Este rasgo está asociado, en mi opinión, a una larga y extendida tradición de acuerdo con la cual las presunciones legales pueden ser *iuris et de iure* y *iuris tantum*. Mientras las presunciones *iuris et de iure* no admiten prueba alguna en contrario, las presunciones *iuris tantum* pueden ser atacadas por tales pruebas. Comúnmente el legislador no establece una regla general que determine qué presunciones son de un tipo u otro, sino que en algunos casos específicos prohibe la prueba en contrario y en otros guarda silencio, por lo que, en tal supuesto, las presunciones son reputadas generalmente *iuris et de iure*. Y cuando la ley admite prueba sólo en determinadas condiciones o determinado tipo específico de prueba, las presunciones son reputadas *iuris tantum* y no *iuris et de iure*.

La idea de prueba contraria para atacar una presunción debe ubicarse en un *continuum* entre dos extremos: las pruebas contrarias que no se encuentran limitadas normativamente de modo alguno, por un lado, y las pruebas contrarias que resultan inadmisibles, por el otro: entre unas y otras se encuentran las pruebas contrarias sobre las que pesan determinadas restricciones procesales. Esta es la manera habitual de trazar la distinción mencionada entre presunciones *iuris et de iure* y *iuris tantum*, es decir, entre las que no admiten prueba en contrario y las que sí admiten tales pruebas, con o sin limitaciones.

Conviene advertir que, al afirmar que se prohibe la prueba en contrario, no quiere decirse que no se pueda aportar prueba para destruir el fundamento de la presunción, es decir, la proposición base. Lo que la ley no permite es atacar el enlace de la presunción o probar la inexistencia del hecho presumido, pero nada impide justificar que el hecho que se invoca como antecedente no existe (o no ha existido) o que no es el que específicamente requiere la ley. En otras palabras, el efecto directo de la presunción legal es liberar a la parte a la que beneficia de la carga que entraña la prueba de la proposición presumida, pero no de la proposición base. Y en cuanto la ley admita tal prueba y ella destruya el supuesto de base, la presunción debe dejar de surtir efecto. Me interesa distinguir entonces, en este sentido, dos estrategias diferentes destinadas a "atacar" una presunción, estrategias que funcionan bajo supuestos distintos, aunque producen el mismo efecto. Las denominaré "estrategia de bloqueo" y "estrategia de destrucción".

1) *Estrategia de bloqueo.* La presunción "Dado p, se presumirá que q" queda bloqueada en el caso C si, y sólo si, se justifica que no está probado p en C, o se prueba la negación de p en C.

(2) *Estrategia de destrucción.* La presunción "Dado p, se presumirá que q" queda destruida en el caso C si, y sólo si, se prueba la negación de q en C.

Como puede notarse, la estrategia de bloqueo se dirige a la proposición base de la norma presuntiva (p) y se funda en la discusión del valor probatorio de las evidencias aportadas a su favor o en la producción de pruebas a favor de su negación, a diferencia de lo que sucede con la estrategia de destrucción, la que se dirige directamente a la proposición presumida (q) y se basa en la producción de pruebas a favor de su negación. En ambos casos el efecto es el mismo: la presunción no entra a operar en el caso individual. La diferencia principal radica en la carga y dirección de la prueba: quien se beneficia de una presunción sólo debe probar la proposición base, mientras que quien pretende evitar ese beneficio debe producir prueba en sentido contrario, en alguna de dos direcciones: respecto de la proposición base o respecto de la proposición presumida. La estrategia de destrucción, obviamente, sólo puede ser empleada cuando la presunción atacada es una presunción *iuris tantum*.

Bibliografía

Aarnio, A. 1995. *Derecho, racionalidad y comunicación social.* Fontamara. México.

Acero, J. 1989. *Filosofía y análisis del lenguaje.* Cincel. Madrid.

Acero, J., Bustos, E. y Quesada, D. 1985. *Filosofía del lenguaje.* Cátedra. Madrid.

Achinstein, P. 1983. *The concept of evidence.* Oxford University Press. Oxford.

Adomeit, K. 1984. *Introducción a la Teoría del Derecho –Lógica normativa, Teoría del método y Politología jurídica.* Civitas. Madrid.

Aguiló Regla, J. 1992. "Derogación, rechazo y sistema jurídico". *Doxa* 11.

Aguiló Regla, J. 1994. "La derogación en pocas palabras". *Anuario de Filosofía del Derecho* XI.

Alchourrón, C. 1969. "Logic of Norms and Logic of Normative propositions". *Logique et Analyse* 47.

Alchourrón, C. 1972. "The Intuitive Backgraund of Normative Legal Discourse and its Formalization". *Journal of Philosophical Logic* 1.

Alchourrón, C. 1981. "Von Wright y los desarrollos de la lógica deóntica". *Anuario de Filosofía Jurídica y Social* 1.

Alchourrón, C. 1986. "Systematization and Change in the Science of Law". *Rechtstheorie* 10.

Alchourrón, C. 1988. "Conflicts of Norms and Revision of Normative Systems". Actas del Congreso de Miami.

Alchourrón, C. y Bulygin, E. 1971. *Normative Systems*. Springer. Viena. (Versión castellana de Alchourrón, C. y Bulygin, E. 1974. *Introducción a la metodología de las ciencia jurídicas y sociales*. Astrea. Buenos Aires).

Alchourrón, C. y Bulygin, E. 1976. "Sobre el concepto de orden jurídico". *Crítica* 23.

Alchourrón, C. y Bulygin, E. 1979. *Sobre la existencia de las normas jurídicas*. Universidad de Carabobo. Valencia (Venezuela).

Alchourrón, C. y Bulygin, E. 1981. "The Expressive Conception of Norms". Hilpinen, R. *New Studies in Deontic Logic*. Reidel. Dordrecht.

Alchourrón, C. y Bulygin, E. 1983. "Definiciones y normas". En Bulygin, E. y otros. *El lenguaje del derecho. Homenaje a Genaro Carrió*. Abeledo-Perrot. Buenos Aires.

Alchourrón, C. y Bulygin, E. 1984a. "Permission and Permissive Norms". En Krawietz, W. y otros (editores) *Theorie der Normen*. Duncker & Humblot. Berlín.

Alchourrón, C. y Bulygin, E. 1984b. "Pragmatic Foundations for a Logic of Norms". *Rechtstheorie* 15.

Alchourrón, C. y Bulygin, E. 1988. "Perils of Level Confusion in Normative Discourse. A Reply to K. Opalek and J. Wolenski". *Rechtstheorie* 19.

Alchourrón, C. y Bulygin, E. 1989. "Limits of Logic and Legal Reasoning". Martino, A. *Logica, informatica e diritto*. Florencia.

Alchourrón, C. y Bulygin, E. 1990. "Von Wright on Deontic Logic and the Philosophy of Law". En Schilpp, P. *The Philosophy of Georg Henrik von Wright*. La Salle. Illinois.

Alchourrón, C. y Bulygin, E. 1991. *Derecho y análisis lógico*. Centro de Estudios Constitucionales. Madrid. (Incluye en versión castellana Alchourrón C. 1969, 1972 y 1988; Alchourrón, C. y Bulygin, E. 1983, 1984a, 1984b, 1988, 1989; Bulygin 1963, 1966, 1976, 1982, 1989, 1992).

Alchourrón, C. y Makinson, D. 1981. "Hierarchies of Regulations and Their Logic". Hilpinen, R. *New Studies in Deontic Logic*. Reidel. Dordrecht.

Alchourrón, C. y Martino, A. 1987-1988. "Lógica sin verdad". *Theoria* 7-8.

Alexy, R. 1988. "Sistema jurídico, principios jurídicos y razón práctica". *Doxa* 5.

Alexy, R. 1986. *Theorie der Grundrechte*. Suhrkamp, Franc-fort/M. (versión castellana de Garzón Valdés, E. 1993. *Teoría de los derechos fundamentales*. Centro de Estudios Constitucionales. Madrid).

Allen, R. 1991. "On the Significance of Batting Averages and Strikeaout Totals: A Clarification of the 'Naked Statistical Evidence' Debate, the Meaning of 'Evidence", and the Requirement of Proof Beyond a Reasonable Doubt". *Tulane Law Review* 65.

Aqvist, L. 1988. *Introduction to Deontic Logics and the Theory of Normative Systems*. Bibliopolis. Nápoles.

Aqvist, L. 1992. "Towards a Logical Theory of Legal Evidence: Semantic Analysis of the Bolding-Ekelöf Degrees of Evidential Strength". En Martino, A. 1992. *Expert Systems in Law*. Elsevier Science Publishers B.V. North-Holland-Amsterdam-Londres-Nueva York-Tokyo.

Atienza, M. y Ruiz Manero, J. 1991. "Sobre principios y reglas". *Doxa* 10.

Atienza, M. y Ruiz Manero, J. 1996. *Las piezas del derecho*. Ariel. Barcelona.

Austin, J. 1913. *Lectures on Jurisprudence or the Philosophy of Positive Law*. Scholarly Press. Londres.

Austin, J.L. 1962. *How to do things with words*. Oxford: Clarendon Press. (Versión castellana de Carrió, G. y Rabossi, E. 1988. *Cómo hacer cosas con palabras*. Paidós. Barcelona).

Bacigalupo, E. 1996. "La función del concepto de norma en la dogmática penal". *Revista de la Facultad de Derecho de la Universidad Complutense*.

Bacqué, J. 1976. "Métodos y usos de la definición". En Bulygin, E. y otros. *El lenguaje del derecho. Homenaje a Genaro Carrió*. Abeledo-Perrot. Buenos Aires.

Barker, S. 1957. *Induction and Hypothesis*. Cornell University Press. Nueva York. (Versión castellana de Míguez, N. 1963. *Inducción e hipótesis*. EUDEBA. Buenos Aires).

Bayón, J. C. 1991. *La normatividad del derecho: deber jurídico y razones para la acción*. Centro de Estudios Constitucionales. Madrid.

Belluscio, A y Zannoni. 1979. *Código Civil y leyes complementarias comentado, anotado y concordado*. Astrea. Buenos Aires.

Benn, S. 1958. "An Approach to the Problem of Punishment", *Philosophy*.

Berlin, I. 1969. *Four Essays on Liberty*. Oxford University Press. Oxford.

Berlo, D. 1960. *The Process of Comunication*. Holt, Rinehart and Winston. Nueva York. (Versión castellana de Gonzalez Roura, S. y Winckhler, G. 1984. *El proceso de la comunicación*. El Ateneo. Buenos Aires).

Bobbio, N. 1987. *Teoría general del derecho*. Temis. Bogotá.

Bobbio, N. 1990. *Contribución a la teoría del derecho*. Debate. Madrid.

Bobbio, N. 1993. *Igualdad y libertad*. Paidós. Barcelona.

Bosch, J. 1998. *Introducción a la comunicación*. Edicial. Buenos Aires.

Bratman, M. 1992. "Practical Reasoning and Acceptance in a Context". *Mind* 101.

Brown, H. 1977. *Perception. Theory and Commitment. The New Philosophy of Science*. Precedent Publishing. Chicago. (Versión castellana de Solana Díez, G. y Marraud, H. 1984. *La nueva filosofía de la ciencia*. Tecnos. Madrid).

Bulygin, E. 1981. "Norms, normative propositions and legal statements". En Floistad, G. *Contemporary philosophy. A new Survey*. Martinus Nijhoff. La Haya. Vol.3.

Bulygin, E. 1981. "Teoría y técnica de legislación". *Revista La Ley*. t.C. Buenos Aires. 1981.

Bulygin, E. 1963. "El concepto de vigencia de Alf Ross". *Revista del Colegio de Abogados de La Plata*.

Bulygin, E. 1966. "Sentencia judicial y creación del derecho". *Revista La Ley* 124.

Bulygin, E. 1976. "Sobre la regla de reconocimiento". En Bacqué, J. y otros. *Derecho, Filosofía y Lenguaje*. Astrea. Buenos Aires.

Bulygin, E. 1982. "Time and Validity". En Martino, A. 1982. *Deontic Logic Computational Linguistics and Legal Information Systems*. North Holland. Amsterdam-Nueva York-Oxford.

Bulygin, E. 1986. "Legal Dogmatics and the Systematization of Law". *Rechtstheorie* 10.

Bulygin, E. 1989. "Sobre las normas de competencia". *Boletín de la Asociación Argentina de Filosofía del Derecho*, Año 5, No.3.

Bulygin, E. 1990. "An Antinomy in Kelsen's Pure Theory of Law". *Ratio Juris* 3.

Bulygin, E. 1991. "Algunas consideraciones sobre los sistemas jurídicos". *Doxa* 9.

Bulygin, E. 1991. "Regla de reconocimiento: ¿Norma de obligación o criterio conceptual? Réplica a Juan Ruiz Manero". *Doxa* 9.

Bulygin, E. 1992. "On Norms of Competence". *Law and Philosophy*, vol. 11, No.3.

Bulygin, E. 1994. "Lógica y normas". *Isonomía* 1.

Bulygin, E. 1995a. "Cognition and Interpretation of Law". En Gianformaggio, L. y Paulson, E. 1995. *Cognition and Interpretation of Law*. Giappichelli. Turín.

Bulygin, E. 1995b. "Lógica deóntica". En Alchourrón, C. (editor). *Lógica*. Trotta. Madrid.

Callen, C. 1991. "Cognitive Science and the Sufficiency of 'Sufficiency of the Evidence' Test". *Tulane Law Review* 65.

Caracciolo, R. 1982. "Conocimiento de normas". En Actas del Primer Congreso Internacional de Filosofía del Derecho, La Plata.

Caracciolo, R. 1988. *El sistema jurídico. Problemas actuales.* Centro de Estudios Constitucionales. Madrid.

Caracciolo, R. 1991. "Sistema jurídico y regla de reconocimiento". *Doxa* 9.

Caracciolo, R. 1992. "El concepto de autoridad normativa. El modelo de las razones para la acción". *Doxa* 10.

Carcaterra, G. 1979. *La forza costitutiva delle norme.* Bulzoni. Roma.

Capella, J.R. 1968. *El derecho como lenguaje. Un análisis lógico.* Ariel. Barcelona.

Carnap, R. 1962. "The Aim of Inductive Logic". En Nagel, E., Suppes, P. y Tarski, A. *Logic, Methodology and Philosophy of Science.* Stanford University Press. Stanford.

Carnap, R. 1986. "Empirismo, semántica y ontología". En Muguerza, J. *La concepción analítica de la filosofía.* Alianza. Madrid.

Carrió, G. 1986. "Sobre los jueces y su estatus normativo". En Laclau, M. y Cracogna, D. *Teoría general del derecho. Sus problemas actuales. Estudios en homenaje a Julio C. Cueto Rúa.* Heliastra. Buenos Aires.

Carrió, G. 1990. *Notas sobre derecho y lenguaje.* Abeledo-Perrot. Buenos Aires.

Celano, B. 1995. "Judicial Decision and Truth. Some Remarks".

En Gianformaggio, L. y Paulson, E. 1995. *Cognition and Interpretation of Law*. Giappichelli. Turín.

Church, A. 1973. "Proposiciones y oraciones". En Moro Simpson, T. *Semántica filosófica: Problemas y discusiones*. Siglo Veintiuno. Buenos Aires.

Cohen, J.L. 1989. "Belief and Acceptance". *Mind* 391.

Cohen, M. y Nagel, E. 1961. *An Introduction to Logic and Scientific Method*. Harcourt, Brace & World. Nueva York. (Versión castellana de Míguez, N. 1968. *Introducción a la lógica y al método científico*. Amorrortu. Buenos Aires).

Copi, I. 1984. *Introducción a la lógica*. EUDEBA. Buenos Aires.

Copi, I. 1986. *Lógica simbólica*. Continental. México.

Cranor, C. y Nutting, K. 1990. "Scientific and Legal Standards of Statistical Evidence in Toxic Tort and Discrimations Suits". *Law and Philosophy* 9.

De Páramo, J.R. 1984. *H.L.A. Hart y la teoría analítica del derecho*. Centro de Estudios Constitucionales. Madrid.

De Páramo, J.R. 1988. "Entrevista a H.L.A. Hart". *Doxa* 5.

Díez-Itza, E. 1993. *El lenguaje: estructuras, modelos, procesos y esquemas*. Servicio de Publicaciones de la Universidad de Oviedo. Oviedo.

Díez-Picazo, L.M. 1990. *La derogación de las leyes*. Civitas. Madrid.

Dworkin, R. 1977. *Taking Rights Seriously*. Duckworth. Londres.(Versión castellana de Guastavino, M. 1984. *Los derechos en serio*. Ariel. Barcelona).

Dworkin, R. 1982. "Natural Law Revisited". En *University of Florida Law Review* XXXIV. (Versión castellana de Iñiguez, S. "Retorno al derecho natural". En Betegón, J. y De Páramo, J. 1990. *Derecho y moral. Ensayos analíticos*. Ariel. Barcelona).

Dworkin, R. 1985. "Is there no right answer in hard cases?". En *A Matter of Principle*. Harvard University Press. Cambridge. (Versión castellana de Narváez Mora, M. 1994. "¿Realmente no hay respuesta correcta en los casos difíciles?". En Casanovas, P. y Moreso, J.J. (editores). 1994. *El ámbito de lo jurídico*. Crítica. Barcelona).

Echave, D., Urquijo, M. y Guibourg, R. 1980. *Lógica, proposición y norma*. Astrea. Buenos Aires.

Escandell, M.V. 1993. *Introducción a la pragmática*. Anthropos. Barcelona.

Elster, J. 1989. *The Cement of Society*. Press Sindicate of the University of Cambridge. (Versión castellana de Bixio, A. 1991. *El cemento de la sociedad*. Gedisa. Barcelona).

Ezquiaga, F. 1987. *La argumentación en la justicia constitucional*. Instituto Vasco de Administración Pública. Oñati.

Farrell, M. 1986. "Obligaciones jurídicas y razones para actuar: La evolución del pensamiento de Hart". *Revista de Ciencias Sociales* 28.

Farrell, M. 1992. *La filosofía del liberalismo*. Centro de Estudios Constitucionales. Madrid.

Feinberg, S., Krislov, S. y Straf, M. 1995. "Understanding and Evaluating Statistical Evidence in Litigation". *Jurismetrics Journal*, vol.36, No.1.

Ferrajoli, L. 1989. *Diritto e ragione*. Laterza & Figli. (Versión castellana de Ibáñez, P. y otros. 1995. *Derecho y razón*. Trotta. Madrid.).

Ferrer, J. 2000. *Las normas de competencia. Un aspecto de la dinámica jurídica*. Centro de Estudios Políticos y Constitucionales. Madrid.

Finkelstein, M. y Fairley, W. 1970. "A Bayesian Approach to Identification Evidence". *Harvard Law Review*, vol.83, No.3.

Flew, A. 1954. "The Justification of Punishment". *Philosophy*.

Frankena, W. "La falacia naturalista". En Foot, P. *Teorías sobre la Etica*. FCE. México. 1974.

Garzón Valdés, E. 1977. "Algunos modelos de validez normativa". *Revista Latinoamericana de Filosofía*. Vol.III, No.1.

Garzón Valdés, E. 1983. "Acerca de las limitaciones jurídicas del soberano". En *El lenguaje del derecho. Homenaje a Genaro Carrió*. Bulygin, E. y otros (editores). Abeledo-Perrot. Buenos Aires.

Garzón Valdés, E. 1987. *El concepto de estabilidad de los sistemas políticos*. Centro de Estudios Constitucionales. Madrid.

Garzón Valdés. E. 1992. "No pongas tus sucias manos sobre Mozart. Algunas consideraciones sobre el concepto de tolerancia". *Claves de Razón Práctica* 19.

Gavazzi, G. 1966. "In defesa (parziale) di una concezione predittiva dell' obbligo giuridico". *Revista di Filosofia* 57.

Gianformaggio, L. y Paulson, E. 1995. *Cognition and Interpretation of Law*. Giappichelli. Turín.

Glymour, C. 1975. "Relevant Evidence". *The Journal of Philosophy*, vol. LXXII, No.14.

González Lagier, D. 1995. *Acción y norma en G.H. von Wright.* Centro de Estudios Constitucionales. Madrid.

Guastini, R. 1986. "Production of rules by means of rules". *Rechtstheorie* 17.

Guastini, R. 1990. *Reglas constitutivas y gran división.* En *Cuadernos del Instituto de Investigaciones Jurídicas*, Año 5, No.14.

Guastini, R. 1992. *Delle fonti alle norme.* Giappichelli. Turín.

Guastini, R. 1993. *Le fonti del diritto e l'interpretazione.* Giuffre. Milán.

Guastini, R. *Teoria e dogmatica delle fonti.* Giuffre. Milán.

Guibourg, R. 1986. *Derecho, sistema y realidad.* Astrea. Buenos Aires.

Guibourg, R. 1987. *El fenómeno normativo.* Astrea. Buenos Aires.

Guibourg, R. 1989. "La interpretación del derecho desde el punto de vista analítico". *Anuario de Filosofía Jurídica y Social* 9.

Guibourg, R. 1994. "Hart, Bulygin, Ruiz Manero: Tres enfoques para un modelo". *Doxa*

Guibourg, R. Alende, J. y Campanella, E. 1996. *Manual de Informática jurídica.* Astrea. Buenos Aires.

Guibourg, R. Ghigliani, A. y Guarinoni, R. 1984. *Introducción al conocimiento jurídico.* Astrea. Buenos Aires.

Gutiérrez, S. 1992. *Introducción a la semántica funcional.* Síntesis. Madrid.

Gutierrez, S. 1993. *Estadística para las ciencias jurídicas.* Tirant lo Blanch. Valencia.

Haack, S. 1978. *Philosophy of Logics.* Cambridge University Press. (Versión castellana de Antón, A. y Orduña, T. 1982. *Filosofía de las lógicas.* Cátedra. Madrid).

Hacker, P. 1973. "Sanction Theories of Duty". En Simpson, A. *Oxford Essays in Jurisprudence.* Oxford University Press. Oxford.

Hacker, P. 1977. "Hart's philosophy of law". En *Law, Morality and Society. Essays in honour of H.L.A. Hart.* Hacker, P. and Raz, J. Clarendon Press. Oxford.

Hacker, P. 1977. "Hart's philosophy of law". En Hacker, P. y Raz, J. *Law, Morality and Society. Essays in honour of H.L.A. Hart.* Clarendon Press. Oxford.

Hall, R. 1958. "Assuming: One Set of Positing Words". *Philosophical Review* 67.

Hare, R.M. 1975. *El lenguaje de la moral*. UNAM. México.

Hart, H.L.A. 1958. "Legal and Moral Obligation". En Melden, A.I. *Essays in Moral Philosophy*. University of Washington Press. Seatle. (Versión castellana de Esquivel, J. y Ortiz, L. 1977. "Obligación jurídica y obligación moral". Instituto de Investigaciones Filosóficas-Universidad Nacional Autónoma de México. México).

Hart, H.L.A. 1961. *The Concept of Law*. Clarendon Press. Oxford. (Versión castellana de Carrió, G. 1977. *El concepto de derecho*. Abeledo-Perrot. Buenos Aires).

Hart, H.L.A. 1966. "Il concetto di obbligo". *Revista di Filosofia* 57.

Hart, H.L.A. 1968. *Punishment and Responsability*, Clarendon. Oxford.

Hart, H.L.A. 1982. *Essays on Bentham. Studies in Jurisprudence and Political Theory*. Clarendon Press. Oxford.

Hart, H.L.A. 1983. "American Jurisprudence through English Eyes: the Nightmare and the Noble Dream". En *Essays in Jurisprudence and Philosophy*. Oxford University Press. Oxford. (Versión castellana de Moreso, J.J. y Navarro, P. 1994. En Casanovas, P. y Moreso, J.J. 1994. *El ámbito de lo jurídico*. Crítica. Barcelona).

Hempel, C. 1952. *Fundamentals of Concept Formation in Empirical Science*. University of Chicago. Chicago. (Versión castellana de Rolleri, J. 1988. *Fundamentos de la formación de conceptos en ciencia empírica*. Alianza. Madrid).

Hempel, C. 1965. *Aspects of Scientific Explanation and other Essays in the Philosophy of Science*. Free Press. Nueva York. (Versión castellana de Frassineti, M. y otros. 1988. *La explicación científica*. Paidós. Barcelona).

Hernández Marín, R. 1984. *El derecho como dogma*. Tecnos. Madrid.

Hernández Marín, R. 1989. *Teoría general del derecho y la ciencia jurídica*. PPU. Barcelona.

Hernández Marín, R. 1993. "Double Pairs". *Ratio Juris* 6.

Hernández Marín, R. 1998. *Introducción a la teoría de la norma jurídica*. Marcial Pons. Madrid.

Hernández Marín, R. 1999. *Interpretación, subsunción y aplicación del derecho*. Marcial Pons. Madrid.

Hilpinen, R. 1981. *Deontic Logic: Introductory and Systematic Readings*. Reidel. Dordrecht-Boston-Londres.

Hohfeld, W. 1964. *Fundamental Legal Conceptions*. Yale University Press. (Versión castellana de Carrió, G. 1968. *Conceptos jurídicos fundamentales*. Centro Editor de América Latina. Buenos Aires).

Holmes, O.W. 1897. "The Path of the Law". *Harvard Law Review* 10. (Versión castellana de 1959. Depalma. Buenos Aires).

Hospers, J. 1967. *An Introduction to Philosophical Analysis*. Prentice-Hall. New Jersey. (Versión castellana de Armero, J. 1982. *Introducción al análisis filosófico*. Alianza. Madrid).

Hume, D. 1739. *A Treatise of Human Nature*. Selby-Bigge. Clarendon Press. Oxford. (Versión castellana de 1984. *Tratado de la naturaleza humana*. Hyspamérica. Buenos Aires).

Iturralde, M.V. 1989. *Lenguaje legal y sistema jurídico*. Tecnos. Madrid.

Jaeger, R. 1975. "Implication and Evidence". *The Journal of Philosophy*, vol. LXXII, No.15.

Kalinowski, G. 1973. *Introducción a la lógica jurídica*. Eudeba. Buenos Aires.

Kalinowski, G. 1975. *Lógica del discurso normativo*. Tecnos. Madrid.

Kalinowski, G. 1993. *Lógica de las normas y lógica deóntica. Posibilidad y relaciones*. Fontamara. México.

Kelsen, H. 1953. *Théorie pure du droit*. Baconière. Neuchâtel. (Versión castellana de Nilve, M. *Teoría pura del derecho*. EUDEBA. Buenos Aires).

Kelsen, H. 1960. *Reine Rechtslehre*. Viena. (Versión castellana de Vernengo, R. 1979. *Teoría pura del derecho*. UNAM. México).

Kelsen, H. 1969. "Una teoría 'realista' y la Teoría Pura del Derecho". En *Contribuciones a la Teoría Pura del Derecho*. CEAL. Buenos Aires.

Kelsen, H. 1969. "El concepto de orden jurídico". En Kelsen, H. *Contribuciones a la Teoría Pura del Derecho*. CEAL. Buenos Aires.

Kelsen, H. 1988. *Teoría General del Derecho y del Estado*. UNAM. México.

Kelsen, H. 1991. *General Theory of Norms*. Clarendon Press. Oxford.

Kelsen, H. y Klug, U. 1988. *Normas jurídicas y análisis lógico*. Centro de Estudios Constitucionales. Madrid.

Klami, H.T., Rahikainen, M., Sorvettula, J. 1988. "On the Rationality of Evidentiary Reasoning". *Rechtstheorie* 19.

Klug, U. 1966. *Problemas de filosofía del derecho*. Sur. Buenos Aires.

Klug, U. 1988. *Lógica jurídica*. Temis. Bogotá.

Lamb, J. 1972. "Knowledge and Justified Presumption". *Journal of Philosophy* 5.

Lacruz Berdejo, J.L. et. al. 1993. *Derecho de sucesiones*. Bosch. Barcelona.

Laporta, F. y Garzón Valdés, E. (Editores). 1996. *Derecho y justicia*. Trotta. Madrid.

Lindahl, L. 1977. *Positions and change*. Reidel. Dordrecht-Boston.

Llewelyn, J. 1962. "Presuppositions, Asumptions and Presupmtions". *Theoria* 2.

López Guerra, L. et. Al. 1991. *Derecho constitucional*. Tirant lo Blanch. Valencia.

Losano, M. 1987. *Curso de informática jurídica*. Tecnos. Madrid.

Lyons, J. *Semántica*. 1980. Teide. Barcelona.

MacCormick, N. 1973. "Legal Obligation and the Imperative Fallacy". En Simpson, A. *Oxford Essays in Jurisprudence*. Oxford University Press. Oxford.

MacCormick, N. 1978. *Legal Reasoning and Legal Theory*. Clarendon Press. Oxford.

MacCormick, N. 1981. *H.L.A.Hart*. Stanford University Press. Stanford.

MacCormick, N. 1989. "Legal Deduction, Legal Predicates and Expert Systems". Comunicación al Simposio Internacional en Honor de Ota Weinberger, Graz.

MacCormick, N. y Bankowski, Z. 1986. *Speech Acts, Legal Institutions, and Real Laws*. En MacCormick, N. y Birks, P. (editores) *The Legal Mind –Essays for Tony Honoré-* Clarendon Press. Oxford.

MacCormick, N. y Bankowski, Z. 1991. "La teoría de los actos de habla y la teoría de los actos jurídicos". *Anuario de Filosofía del Derecho* VIII.

MacCormick, N y Summers, R. 1991. "Interpretation and Justification". En MacCormick, N. y Summers, R. *Interpreting*

Statutes. A Comparative Study. Dartmouth. Albershot-Brookfield.

Martino, A., Socci Natali, F. 1986. *Automated Analysis of Legal Texts –Logic, Informatics, Law-* North-Holland. Amsterdam-Nueva York-Oxford-Tokyo.

Mazzarese, T. 1989. *Logica deontica e linguaggio giuridico.* CEDAM. Padova.

Mazzarese, T. 1991. "'Norm Proposition': Epistemic and Semantic Queries". *Rechtstheorie 22.*

Mazzarese, T. 1995. "Cognition and Legal Decisions Remarks on Bulygin's View". En Gianformaggio, L. y Paulson, E. *Cognition and Interpretation of Law*. Giappichelli. Turín.

Mendonca, D. 1992. *Introducción al análisis normativo*. Centro de Estudios Constitucionales. Madrid.

Mendonca, D. 1993. Atti di abrogazione e norme abrogatrici. *Analisi e diritto.*

Mendonca, D. 1994. "Obligaciones, normas y sistemas". *Theoria*, Año IX, No. 20.

Mendonca, D. 1995. *Exploraciones normativas*. Fontamara. México.

Mendonca, D. 1997. *Interpretación y aplicación del derecho*. Servicio de publicaciones de la Universidad de Almería. Almería.

Mendonca, D. 1999. "Presumptions". *Ratio Juris 11.*

Messineo, F. 1979. *Manual de derecho civil y comercial.* EJEA. Buenos Aires.

Mir Puig, S. 1990. *Derecho penal*. PPU. Barcelona.

Moore, D. 1973. "Legal Permissions". *Archiv für Rechts-und-Sozial-philosophie LIX, 3.*

Moreso, J.J. 1997. *La indeterminación del derecho y la interpretación de la Constitución*. Centro de Estudios Constitucionales. Madrid.

Moreso, J.J. y Navarro, P. 1992. "Algunas observaciones sobre las nociones de orden jurídico y sistema jurídico". *Análisis filosófico 2.*

Moreso, J.J. y Navarro, P. 1996. "Applicabilità ed efficacia delle norme giuridiche". En Comanducci, P y Guastini, R. *Struttura e dinamica dei sistemi giuridici*. Giappichelli. Turín.

Moreso, J.J., Navarro, P. y Redondo, C. 1992. "Argumentación jurídica, lógica y decisión judicial". *Doxa 11.*

Moulines, U. 1993. "Conceptos teóricos y teorías científicas".

En Moulines, U. 1993. *La ciencia: estructura y desarrollo.* Trotta. Madrid.

Munzer, S. 1972. *Legal Validity.* Martinus Nijhoff. La Haya.

Navarro, P. 1990. *La eficacia del derecho.* Centro de Estudios Constitucionales. Madrid.

Navarro, P. y Redondo, C. 1990. "Derogation, Logical Indeterminacy and Legal Expressivism". *Rechtstheorie* 21.

Navarro, P. y Redondo, C. 1990. "Permisiones y actitudes normativas". *Doxa* 7.

Niiniluoto, I. 1981. "On Truth and Argumentation in Legal Dogmatics". *Rechtstheorie* 10.

Niiniluoto, I. 1991. "Norm Propositions Defended". *Ratio Juris* 4, No.3.

Nino, C.S. 1978. "Some Confusions around Kelsen's Concept of Validity". *Archiv für Rechts und Sozialphilosophie* 64.

Nino, C.S. 1980. *Introducción al análisis del Derecho.* Astrea. Buenos Aires.

Nino, C.S. 1985. *La validez del derecho.* Astrea. Buenos Aires.

Nino, C.S. 1986. "El Concepto de Derecho de Hart". *Revista de Ciencias Sociales* 28.

Nino, C.S. 1988. *Introducción a la filosofía de la acción humana.* Eudeba. Buenos Aires.

Nino, C.S. 1989. *El constructivismo ético.* Centro de Estudios Constitucionales. Madrid.

Nino, C.S. 1992a. *Un país al margen de la ley.* Emecé. Buenos Aires.

Nino, C.S. 1992b. *Fundamentos de derecho constitucional.* Astrea. Buenos Aires.

Nino, C.S. 1994. *Derecho, Moral y Política.* Ariel. Barcelona.

Oladosu, A. 1991. "H.L.A. Hart on Legal Obligation". *Ratio Juris* 4.

Olivecrona, K. 1959. *Law as Fact.* Stevens&Sons. Londres. (Versión castellana de Cortés, G. 1980. *El derecho como hecho.* Labor. Madrid).

Opalek, K. y Wolenski, J. 1973. "On Weak and Strong Permissions". *Rechtstheorie* 4.

Opalek, K. y Wolenski, J. 1986. "On Weak and Strong Permissions Once More". *Rechtstheorie* 17.

Opalek, K. y Wolenski, J. 1991. "Normative Systems, Permission and Deontic Logic". *Ratio Juris* 4.

Oppenheim, F. 1981. *Conceptos políticos. Una reconstrucción.* Tecnos. Madrid.

Oppenheim, F. 1995. "The Judge as Legislator". En Gianformaggio, L. y Paulson, E. *Cognition and Interpretation of Law.* Giappichelli. Turín.

Pattaro, E. 1986. *Elementos para una teoría del derecho.* Cátedra. Madrid.

Primoratz, I. 1989. "Punishment as Language". *Philosophy* 64.

Quine, W. 1981. *Los métodos de la lógica.* Ariel. Barcelona.

Raz, J. 1970. *The Concept of a Legal System.* Clarendon Press. Oxford. (Versión castellana de Tamayo y Salmorán, R. 1986. *El concepto de sistema jurídico.* UNAM. México.).

Raz, J. 1971. "The Identity of Legal Systems". *California Law Review* 59.

Raz, J. 1975. *Practical Reason and Norms.* Hutchinson. Londres. (Versión castellana de Ruiz Manero, J. *Razón práctica y normas.* 1991. Centro de Estudios Constitucionales. Madrid.)

Raz, J. 1979. *The Authority of Law.* Oxford University Press. Oxford. (Versión castellana de Tamayo y Salmorán, R. 1982. *La autoridad del derecho.* UNAM. México).

Raz, J. 1990. *Authority.* (Editor). Basil Blackwell. Oxford.

Redondo, C. 1996. *La noción de razón para la acción en el análisis jurídico.* Centro de Estudios Constitucionales. Madrid.

Robinson, R. 1954. *Definition.* Oxford Clarendon Press. Oxford.

Robertson, B. y Vignaux, G. 1993. "Probability –The Logic of the Law". *Oxford Journal of Legal Studies*, vol.13, No.14.

Ross, A. 1958. *On Law and Justice.* Stevens. Londres. (Versión castellana de Carrió, G. 1963. *Sobre el derecho y la justicia.* EUDEBA. Buenos Aires).

Ross, A. 1968. *Directives and Norms.* Routledge & Kegan Paul. Londres. (Versión castellana de Hierro, J. 1971. *Lógica de las normas.* Tecnos. Madrid).

Ross, A. 1969. *Sobre el concepto de validez y otros ensayos.* Centro Editor de América Latina. Buenos Aires.

Ross, A. 1976. "La finalidad del castigo". En Bacqué, J. y otros (editores). *Derecho, filosofía y lenguaje.* Astrea. Buenos Aires.

Ruiz Manero, J. 1990. *Jurisdicción y normas. Dos estudios sobre función jurisdiccional y teoría del Derecho.* Centro de Estudios Constitucionales. Madrid.

Ruiz Manero, J. 1991. "Normas independientes, criterios conceptuales y trucos verbales: Respuesta a Eugenio Bulygin". *Doxa* 9.

Ryle, G. 1961. *The Concept of Mind.* Barnes & Noble. Nueva York. (Versión castellana de Rabossi, E. 1967. *El concepto de lo mental.* Paidós. Buenos Aires).

Searle, J. 1964. "Cómo derivar 'debe' de 'es'". En Foot, P. *Teorías sobre la Etica.* FCE. México. 1974.

Searle, J. 1969. *Speech acts: An essay in the Philosophy of Language.* Cambridge University Press. Londres. (Versión castellana de Valdés Villanueva, L. 1986. *Actos de habla.* Cátedra. Madrid).

Searle, J. 1990. "Indirect Speech Acts", en *The Philosophy of Language.* Oxford University Press. Oxford.

Sellars, W. 1954. "Presupposing". *Philosophical Review* 63.

Shaviro, D. 1989. "Statistical-Probability Evidence and the Apperence of Justice". *Harvard Law Review* 103.

Soeteman, A. 1989. *Logic in Law.* Kluwer. Dordrecht-Boston-Londres.

Spaak, T. *The Concept o Legal Competence. An Essay in Conceptual Analysis.* Dartmouth. Aldershot.

Steup, M. 1995. *An introduction to Comtemporary Epistemology.* Prentice Hall. New Jersey.

Tarello, G. 1980. *L'interpretaziones della legge.* Giuffré. Milán.

Tarski, A. 1985. *Introducción a la lógica y a la metodología de las ciencias deductivas.* Espasa-Calpe. Madrid.

Taruffo, M. 1992. *La prova dei fatti giuridici.* Giufré. Milán.

Thornton, G. 1996. *Legislative Drafting.* Butterworths. Londres.

Twining, W. 1983. *Facts in Law.* Wiesbaden: ARSP (Beiheft 16).

Twining, W. 1984. "Evidence and Legal Theory". *Modern Law Review*, vol.47, No.3.

Twining, W. 1994. *Rethinking Evidence. Exploratory Essays.* Northwestern University Press. Evanston.

Twining, W. y Miers, D. 1982. *How to do Things With Rules.* Weinfeld & Nicolson. Londres.

Ullmann-Margalit, E. 1983. "On Presumption". *Journal of Philosophy* 3.

Ullmann-Margalit, E. 1992. "Holding True and Holdin as True". *Synthese* 92.

Vernengo, R. 1971. *La interpretación literal de la ley y sus problemas*. Abeledo-Perrot. Buenos Aires.

Vernengo, R. 1977. *La interpretación jurídica*. UNAM. México.

Vernengo, R. 1987. "Derecho y lógica: un balance provisorio". *Anuario de Filosofía del Derecho*.

Vernengo, R. 1988. *Curso de teoría general del derecho*. Depalma. Buenos Aires.

Vilajosana, J.M. 1995. "Problemas de identidad de los sistemas jurídicos". *Doxa*, 17-18.

Von Wright, G.H. 1963. *Norm and Action. A Logical Inquiry*. Routledge & Kegan Paul. Londres. (Versión castellana de García Ferrero, P. 1979. *Norma y acción. Una investigación lógica*. Tecnos. Madrid).

Von Wright, G.H. 1968. *An Essays in Deontic Logic and the General Theory of Action*. Societas Philosophica Fennica. Helseinki. (Versión castellana de Garzón Valdés, E. 1976. *Un ensayo de lógica deóntica y la teoría general de la acción*. UNAM. México).

Von Wright, G.H. 1976. "Reencuentro con la lógica deóntica". En Bacqué, J. y otros. *Derecho, Filosofía y Lenguaje –Homenaje a A.L. Gioja-*. Astrea. Buenos Aires.

Von Wright, G.H. 1981. *A New System of Deontic Logic*. En Hilpinen, R. *Deontic Logic: Introductory and Systematic Readings*. Reidel. Dordrecht-Boston-Londres.

Von Wright, G.H. 1983. *Normas de orden superior*. En Bulygin, E. y otros (eds.) *El lenguaje del derecho –Homenaje a Genaro Carrió-*. Abeledo-Perrot. Buenos Aires.

Von Wright, G.H. 1987. *Explicación y comprensión*. Alianza. Madrid.

Weinberger, O. 1984. "On The Meaning of Norms Sentences, Normative Inconsistency and Normative Entailment". *Rechtstheorie*.

Weinberger, O. 1985. "The Expressive Conception of Norms –An Impasse for the Logic of Norms-". *Law and Philosophy* 4.

Weinberger, O. 1986. *The Norms as Thought and as Reality*. En MacCormick, N. y Weinberger, O. *An Institutional Theory of Law*. Reidel. Dordrecht-Boston-Londres.

Wellman, C. 1975. *Morals and Ethics*. Scott, Foresman and Company. (Versión castellana de Rodríguez, J. 1982. *Morales y éticas*. Tecnos. Madrid.).

Wittgenstein, L. 1988. *Investigaciones filosóficas*. UNAM-Crítica. Barcelona.

Wróblewski, J. 1974. "Structure et fonctions des présomptions juridiques". En Perelman, Ch. y Foriers, P. *Les présomptions et les fictions en Droit*. Bruylant. Bruselas.

Wróblewski, J. 1985. *Constitución y teoría general de la interpretación jurídica*. Civitas. Madrid.

Wróblewski, J. 1989. *Sentido y hecho en el derecho*. Servicio Editorial del País Vasco. San Sebastián.

Wróblewski, J. 1992. *The Judicial Application of Law*. Kluwer. Dordrecht-Boston-Londres.

Zapatero, V. 1994. "De la jurisprudencia a la legislación". *Doxa* 15-16.

Ziembinski, Z. 1976. "On So-Called Permissive Norms". *Archivium Juridicum Cracoviense* IX.

Zimmerling, R. 1993. *El concepto de influencia y otros ensayos*. Fontamara. México.

Otros títulos de Editorial Gedisa sobre
Filosofía del derecho y teoría política

Serie CLA•DE•MA

Impreso en los talleres de
Master Copy, S.A. de C.V.
Plásticos #84 Local 2 Ala Sur
Fracc. Industrial Alce Blanco
Naucalpan de Juárez, C.P. 53370